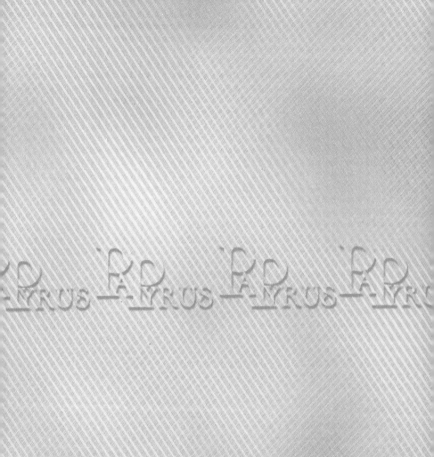

2레벨로 회귀한 무신

PAPYRUS FANTASY STORY

염비 판타지 장편소설

2레벨로 회귀한 무신 4

초판 1쇄 발행 2021년 10월 28일

지은이 ㅣ 염비
발행인 ㅣ 신현호
편집장 ㅣ 이호준
편집 ㅣ 송영규 최종건 정재웅 양동훈 곽원호 조정범 강준석 최성화
편집디자인 ㅣ 한방울
영업·관리 ㅣ 김민원 조인희

펴낸곳 ㅣ ㈜ 디앤씨미디어
등록 ㅣ 2002년 4월 25일 제20-260호
주소 ㅣ 서울시 구로구 디지털로 26길 111 JnK디지털타워 503호
전화 ㅣ 02-333-2513(대표)
팩시밀리 ㅣ 02-333-2514
E-mail ㅣ papy_dnc@dncmedia.co.kr
블로그 ㅣ blog.naver.com/gnpdl7

값 8,000원

ISBN 979-11-364-2678-9 04810
ISBN 979-11-364-2555-3 (SET)

4

2레벨로 회귀한 무신

PAPYRUS FANTASY STORY

염비 판타지 장편소설

PAPYRUS
파피루스

1장

1장

"벌써 체력이 하나 올랐다고?"

"응. 삼촌. 역시 버프 효과 엄청나더라!"

이하연의 연락을 받고 길드로 온 성지한은 윤세아의 체력이 벌써 1이 또 늘었다는 이야기를 듣고 놀람을 감추지 못했다.

'각성한 지 얼마나 지났다고…….'

지구 최후의 10국 시기.

레어 스탯 근성을 얻기 위해, 2군 길드 시스템이 잘 갖춰진 그때에도.

100일 안에 10의 체력을 올리는 플레이어는 10명 중 단 한 명에 불과했다.

'그만큼 자연적으로 스탯이 오르는 건 무지막지하게 힘

든 일이었는데…….'

윤세아는 지금 각성한 지 일주일 만에, 체력이 2나 올랐다.

'대기만성…… 역시 배런이 경계하던 기프트인가.'

배런은 언제나 랭킹 2등인 중국의 진유화를 경계하곤 했다.

그녀가 랭킹 포인트를 따라잡는 속도가 엄청났기 때문이다.

최후의 10국 시기가 조금 더 지속되었으면, 진유화가 세계 1등이 되었을지도 몰랐다.

"오너님. 제게 좋은 생각이 있어요!"

이하연은 의욕 넘치는 표정으로 말문을 꺼냈다.

"뭡니까?"

"이번에 세아가 이뤄 낸 놀라운 성과를 널리 널리 알려야 하지 않겠어요? 대기 길드의 버프 능력도 크게 홍보할 겸 말이죠!"

"그렇군요. 어떻게 하실 생각이죠?"

"저희 길드 채널은 사실 오너님만 보고 온 사람이 많아서, 지금 이 사실을 길드 채널에서 발표해 봤자 많은 관심을 끌지는 못할 거예요."

성지한은 고개를 갸웃하며 반문했다.

"글쎄요. 능력치 상승이 워낙 빨라서 사람들이 꽤 관심을 보일 거 같은데요."

"그거야 그렇죠. 하지만 저희 길드가 도달해야 할 목표치를 생각하면 더더욱 많은 관심이 필요하답니다!"

"도달할 목표치라니……."

"역시, 세계 최고 아닌가요?"

세계 최고라니?

대기 길드를 번창시키기 위한 이하연의 파이팅이 너무 넘쳤다.

"그래서 말인데…… 오너님. 좀 도와주시면 안 될까요?"

"어떤 도움이 필요합니까? 제 채널에서 공개하면 되나요?"

구독자가 60만을 돌파한 성지한 채널.

여기서 이야기하면, 길드 채널보다 훨씬 좋은 홍보 효과를 누릴 수 있을 터.

하나 이하연은 그 제안에 고개를 가로저었다.

"그럼 엄청 도움이 되겠지만…… 너무 오너님 채널에만 의존하다가는 매번 홍보할 일 있을 때마다 오너님에게 부탁할 것 같아서요."

"그럼……."

"음, 그것보단 길드 채널을 성장시키는 게 나중을 보더라도 나을 거 같아요."

"그건 그렇죠. 그럼 어떻게 도우면 되죠?"

"오너님. 혹시 기억하고 계시나요? 이성에서, 오너님 광고에 대해 매니지먼트 하겠다는 거."

성지한은 고개를 끄덕였다.

광고 활동에 있어, 이성 그룹의 매니지먼트를 받는 것이 이하연의 영입 조건 중 하나였지.

"실버 땐 광고 한 달에 한 번 찍겠다고 했었죠."

"네. 그 1번의 기회, 지금 쓰고 싶어요."

"갑자기 광고를요?"

"네. 사실 이성전자에서 신규 스마트폰 광고 모델 제안이 들어왔거든요……."

"……."

왜 이야기가 길드 채널 성장에서 갑자기 광고 모델로 바뀌는 것인가.

이하연은 겸연쩍은 듯, 말꼬리를 흐렸다.

"헐. 삼촌! 핸드폰 광고 모델 하는 거야? 대박."

"네. 다른 데에서 제안 온 거는 커트했는데, 이성전자에서 직접 부탁하는 건 아무래도 말씀을 드려야 할 거 같아서……."

"다른 데에서 한 건 왜 안 찍어요?"

윤세아가 이하연을 바라보며 의아해하자, 성지한이 대신 답해 줬다.

"한 달에 하나만 찍기로 했어."

"왜? 찍을 수 있을 때 찍어야 하는 거 아닌가."

"지금 굳이 많이 찍을 필요는 없거든."

몸값이야 계속 오를 터, 지금 광고를 미리 찍을 필요는 없었다.

그래도 이성전자의 광고 건은 길드마스터의 사정을 생각해서 찍는 게 좋겠지.

"좋습니다. 이성 건 찍죠."

"아! 괜찮으신가요?"

성지한은 담담히 고개를 끄덕이며 물었다.

"근데 이거랑 채널 성장이랑 무슨 상관이죠?"

"아, 그게 말이죠. 광고 촬영할 때, 메이킹 영상을 길드 채널에서 중계하고 싶어요."

"메이킹 영상…… 그런 걸 사람들이 볼까요?"

안 그래도 광고 나오면 채널 돌리거나 넘어가기 누르는 게 일반적인데.

그 광고를 찍는 걸, 사람들이 무슨 재미로 본단 말인가?

성지한이 이해가 안 간다는 듯 반문했지만.

"오너님. 지금 오너님 팬 카페가 우후죽순 생기는 거 아세요?"

"팬 카페라니……."

"8.15 한일전 이후 현재 검왕가는 거의 와해된 상태예요. 그렇게 모였던 전 국민적인 팬덤이 그냥 사그라지나 싶었는데…… 오너님이 갑자기 등장하신 거죠."

한일전 이후로도, 한국 대표팀은 여러 번의 동아시아 리그 경기에서 단 한 번도 승리를 거두지 못하고 연전연패하는 중이었다.

압도적으로 꼴등을 기록 중인 한국.

배틀넷 국가 순위도 올해는 대폭 하락할 게 확실시되었다.

이런 상황에서, 성지한이라는 초대형 유망주의 등장은 한국에 있어서 한 줄기 희망이 되고 있었다.

세계 최고의 유망주라는 배런을 압도적으로 꺾고, 지금까지의 모든 배틀넷 경기에서 1등을 놓치지 않았다.

거기에 더해 세계 최고의 길드인 아메리칸 퍼스트에서 백지 수표를 내밀 정도로 구애를 하고 있는 상황.

그럼에도 무슨 이유에선지 아직도 한국에 남아 있다?

국민 스타로 떠오를 수밖에 없는 판국이었다.

"지금 가장 큰 팬 카페 이름이 더 퍼스트라고 하던가? 그럴 거예요."

"맞아요. 더 퍼스트. 삼촌이 맨날 1등 해서 지어진 이름이거든요."

"세아야, 너 꽤 잘 안다?"

"헤헤, 나도 가입했거든!"

"……."

얘는 무슨 삼촌 팬 카페를 가입하는 건지.

성지한은 어이가 없었지만, 어쨌든 이하연이 무슨 말을 하고 싶은지는 알 수 있었다.

"팬이 생겼으니까, 그들이 광고 보러 올 것이다?"

"예. 광고 메이킹 영상을 길드 채널에서 생중계로 진행하면 많이 보러 올 거예요. 그럼 광고 촬영 끝나고……."

의욕 넘치는 표정으로 그다음 과정을 설명하는 이하연.

메이킹 영상에서 길드 홍보로 이어지는 일련의 과정을 들으며.

성지한은 생각했다.

'지분, 잘 준 거겠지?'

처음엔 그저 버프 셔틀로 생각했던 길드가, 의욕 넘치는 길드마스터에 의해 걷잡을 수 없이 굴러가고 있었다.

'그래…… 길드 업적도 깨야 하니까.'

업적 포인트를 얻기 위해 길드를 키운다고 생각하자.

성지한은 그리 결론 내리며, 귀찮은 일을 대신해 줄 길드마스터에게 힘을 실어 주기로 마음먹었다.

* * *

5일 후, 대기 길드 채널.

-지한 님~~ 이성전자~~ 광고 찍는~~ 날이 오늘 ~~~ 맞죠????

-네네 맞워요~ 오홍홍홍!!!!

실시간 방송이 시작되기도 전에.

벌써 수만은 넘는 시청자가 채팅창에 접속해 있었다.

-실딱이가 핸드폰 광고를 찍네 ㅋㅋㅋㅋ 어처구니가 없다 ㄹㅇ

-실버가 찍는 게 아니거든요!!! 지한 님이 찍는 거거든요!!!!

-너 검왕가였지? 말투가 딱인데?

-거긴 이미 탈덕했거든?ㅡㅡ

-대한의 건아 성지한 님 자랑스럽읍니다……^^ 멋진…… 광고…… 기대합니다……^^

-더 퍼스트 일동, 응원합니다!!!!!!

요즘 들어 부쩍 늘은 여성 팬과, 검왕 이후 오랜만에 국뽕 맛을 본 중장년 시청자들이 채팅에 참여하며, 길드 채널 채팅창은 혼돈의 도가니가 되어 있었다.

8.15 한일전 이후, 한국 대표 팀이 지역 리그 경기에서 연전연패하면서, 아이러니하게도 성지한의 팬층은 더욱 넓어졌는데.

한국 배틀넷 상황에서, 그나마 희망적인 요소가 성지한 하나였기 때문이다.

-오. 시작된다.

3분 후, 검은 화면이 재생되며 스트리밍이 시작되었다.

"여러분 안녕하세요~ 길드마스터 이하연입니다~"

한껏 꾸민 이하연이 나오자 채팅창이 남자들로 인해 도배되었다.

　-ㅗㅜㅑ!!!!!
　-오늘도 클라쓰가 다르시네…… 앞으로 광고는 길마가 찍어야 하는 거 아님?
　-그냥 노가리만 까도 조으니까 채널에서 방송 많이 틀어 주세여…… 헤으응…… 보고 싶었어여…….
　-ㄹㅇ 나 성지한보다 하연이 보러 옴.
　-나도 ㅋㅋㅋㅋ

"말씀 감사합니다! 여러분~ 그래도 오늘의 주인공은 따로 있죠! 자, 저희 오너님을 뵈러 가 볼까요?"
이하연은 촬영팀과 함께, 분장실에서 메이크업을 마치고 있는 성지한 쪽을 향해 다가갔다.
"오너님! 와~ 안 그래도 멋있는 얼굴이, 메이크업 하니까 완전 빛이 나네요~!"
"……지금부터 영상 찍는 겁니까?"
"네. 원래 지금부터 찍어 줘야죠. 이 헤어스타일 잘 어울리세요~ 그죠, 여러분?"

　-와 지한니뮤ㅠㅠㅠㅠㅠㅠ
　-평소처럼 덮지한도 멋있지만 깐지한도 ㅠㅠㅠㅠㅠㅠ

ㅠㅠㅠ

　-수업 째고 보길 잘했어 ㅠㅠㅠㅠ
　-빡치누.
　-왜 화남?
　-잘생겨서.
　-ㅇㅈㅍㅇㅈ

안 그래도 플레이어 중에서 잘생긴 외모로 나름 인기를 끌던 성지한이었다.

한데, 평소처럼 이마를 덮은 상태가 아니라 이마를 드러내 헤어스타일을 정돈하자, 반응이 폭발적이었다.

"오늘 오너님 나오신다고 하니까 동시 시청자가 벌써 삼만 명 넘게 모였어요~ 평소의 삭막하던 길드 채널이 아니라고요!"

"꼭 저 때문이겠어요. 길드 채널도 상당히 성장했던데."

"오너님 채널에 비하면 새 발의 피죠. 자자~ 여러분! 오늘 광고하는 물건이 어떤 건지 혹시 아시나요?"

이하연의 질문에, 황급히 대답이 올라왔다.

　-아기다리고기다리던 스페이스 23 차례 아입니까?
　-LK전자에게 밀리는 점유율을 단번에 뒤집을 이성의 회심의 역작!
　-LK를 뒤집긴 개뿔이ㅋㅋㅋㅋㅋ 이성 알바 너무 티

내는 거 아니냐.

　─ㄹㅇ이성이 LK전자를 휴대폰으로 어케 이김 ㅋㅋㅋㅋㅋ

　LK전자의 스마트폰을 이성보다 우위에 두는 대중.

　이건 2020년, 한국을 포함한 전 세계의 일반적인 인식
이었다.

　'와. 옛날엔 우리가 훨씬 잘나갔는데…… 그놈의 배틀
넷만 아니었어도!'

　이하연을 채팅을 보고 발끈하려던 걸 참으며, 애써 웃
음으로 승화시켰다.

　"이번엔! 다릅니다! 정말 회심의 역작이라고요!"

　─그러는 길마 눈나 폰도…… 어? 스페이스 모델이네.

　─저거 세컨 폰임. 저번에 오렌지폰 쓴 거 내가 봄~^0^

　─방송 때문에 폰세탁하다니 실망이야.

　"아니! 무슨 소리예욧!!! 저 이성 폰만 써요! 오렌지폰
쓰면 집에서 쫓겨난다고요!"

　─응? 어떻게 쫓겨나는 줄 알지? hoxy…….

　"아니라고!"

　─ㅋㅋㅋㅋㅋㅋ 길마 리액션이 맛집이네. 놀리는 맛이 있
구만

-이럴 때 아니면 언제 재벌녀 놀려 보냐?

-근데 ㄹㅇ 재벌녀 맞음? 재벌이 왜케 이뻐;

-진짜 재벌녀임. 그러니까 세상이 불공평한 거야.

성지한은 시청자들과 적절한 리액션을 섞어 가며 대화하는 이하연을 바라보았다.

'내가 굳이 안 나와도 떡상했을 채널 같은데…….'

저번에 길드 채널에서 한 번 나왔음에도, 인터넷에서는 이미 '재벌 여신'이라는 별명까지 붙은 이하연.

그냥 그녀가 길드에 관련해서 브리핑 방송만 해도, 금방 채널이 성장할 거 같았다.

"하아. 진짜…… 어쨌든! 이번엔 다릅니다. 저희 이성이 놀라운 혁신을 이뤄 냈다고요! 자, 이것 보세요!"

이하연은 자신만만한 표정으로 이성전자의 새 스마트폰, 스페이스 23을 꺼냈다.

겉모습은 2020년에 유행하는 스마트폰과 크게 다를 게 없는 모습.

하지만 이하연이 스마트폰을 펴고 접자.

액정이 부드럽게 늘어나고, 또 접혔다.

-오 자신만만한 이유가 있었네?

-LK 폴더블폰보다 좋아 보임.

근래 새롭게 유행 중인 폴더블 스마트폰.

이성이 내놓은 스페이스 23은 기존의 것에 비해, 확실히 디스플레이의 성능이 한 단계 더 뛰어났다.

사람들의 반응이 괜찮아 보이자, 이하연은 자신만만하게 웃으며 말했다.

"이성 길드에서 전자에 아카식 페이지 3개를 제공해서 얻어 낸 기술 혁신이랍니다!"

-아카식 페이지를 3개나?
-이성 칼 갈았네ㄷㄷㄷㄷ

아카식 페이지를 사용했다는 소리에 더욱 관심을 보이는 시청자들.

그런데 이에 관심을 보이는 건, 일반 시청자뿐만이 아니었다.

[아카식 페이지?]

지금껏 성지한의 왼팔 안에서 가만히 있던 아리엘이.

[설마 그걸…… 이딴 물건에 썼다고?]

어처구니없다는 목소리로 말을 꺼낸 것이다.

* * *

아카식 페이지.

이 물건은, 배틀넷에서 확률적으로 얻을 수 있는 물건인 '아카샤의 조각' 25개를 조합해야 만들 수 있는 아이템이었다.

플래티넘 리그부터 확률적으로 나오는 아카샤의 조각은, 2014년까지만 해도 그 쓰임새를 몰라 방치되었다.

배틀넷 마켓에 팔려고 해도 특수 아이템이라면서 올라가지 않고 지구 내에서만 거래가 가능했기에, 인벤토리만 차지한다고 버리는 플레이어도 있을 정도였다.

하나 한국의 LK길드가 이 아이템의 사용법을 알게 되면서, 상황은 반전되었다.

이성에 밀려 만년 2등이던 LK 전자가 갑자기 2015년부터 엄청난 기술적 발전을 이룬 것이다.

다른 선두 기업에 비하면 연구 개발에 투자하는 액수가 현저히 적었는데도.

LK는 선두 기업의 기술력을 따라잡고, 나중엔 오히려 자신들이 기술 진보를 선도했다.

'나중에 이 기술 발전은 아카식 페이지 때문이라는 게 밝혀졌지.'

아카식 페이지를 사용하면, 연구 개발 분야에서 유의미한 효과를 볼 수 있었다.

특히 IT나 전자 분야에서 효과가 뛰어나서, 세계 굴지의 IT 기업들이 모두 아카샤의 조각을 구매하려고 안달이었다.

'어떻게 사용하는 건지는 나도 알지 못했지만…….'

그 이유엔 아카식 페이지가 한참 사용될 때는 튜토리얼 시기였다는 점이 있었다.

기업들이 최대한 이 사용법을 숨기려 한 것도 있었고.

튜토리얼 이후에는 아카샤의 조각이 거의 나오지 않아, 절로 잊힌 것이다.

그런데, 아리엘은 이 아카식 페이지에 대해 무언가 알고 있는 것 같았다.

[정말 믿기지가 않아.]

스으으윽.

성지한의 왼팔이 어둠에 물들더니, 그 안에서 아리엘이 불쑥 튀어나왔다.

-오, 성지한 소환수다.

-어…… 저번 게임에서 봤을 때보다 모습이 좀 다른데?

-눈이 더 이뻐짐. 좀 더 생동감 있네.

-저번 검은 눈이 난 더 좋은데. 귀신같아서…… ㅎㅎ

-변태냐? ㄷㄷㄷ

성지한을 주인으로 인정하기 전과, 후가 확실히 차이나는 아리엘.

그녀는 예전보다 다채로운 표정을 짓고 있었다.

"최하급 종족."

"……저, 말씀하시는 건가요?"

토종 한국인처럼 유창한 말투로, 최하급 종족이라고 하다니.

이하연은 설마 하는 표정으로 자신을 손가락으로 가리켰다.

"응. 너."

"……제가 왜 최하급이에요?"

"종족이 최하급이니까."

"그럼 왜 저희가 최하급……."

"약하니까."

─ㅋㅋㅋㅋㅋ갑자기 급발진하누.

─아니, 지도 성지한 소환수면서…….

─성지한보고도 최하급이라 하는 거 아님?ㅋㅋㅋ

"주인은 다르지. 주인은 종을 뛰어넘어, 중급쯤 된다."

이하연의 앞쪽에 떠올라 있는, 반투명한 길드 채널 채팅창 글귀.

아리엘은 한글도 읽을 수 있는지, 순식간에 채팅을 읽으며 말했다.

"저번엔 하급이라더니. 중급인가?"

"응. 상급은 아직 무리다."

"다크 엘프는 뭔데?"

"다크 엘프? 난 쉐도우 엘프다. 쉐도우 엘프는…… 중
상급쯤 되겠군."

그러면서 아리엘은 스마트폰을 향해 손을 뻗었다.

스으으으.

어둠이 뻗어 가더니, 이하연이 쥐고 있던 스마트폰 '스
페이스 23'이 스르르 빠져나갔다.

"최하급 종족인 데에는 또 이유가 있다. 대체 이런 물
건에 왜 아카식 페이지를 3장이나 쓴 거지?"

"보다 더 디스플레이를 플렉시블하게 만들기 위해서
죠. 기존의 폴더블 폰에 비해 얼마나 부드럽게 접혀요?"

"하…… 겨우 이거 접고 펴는 것 때문에?"

아리엘은 한심하다는 눈으로 스마트폰과 이하연을 번
갈아 쳐다보았다.

"아카식 페이지의 진정한 가치도 모르고…… 쯧."

-??
-이 소환수, 뭔가 알고 있다?
-아카식 페이지에 다른 용도가 있나?
-최하급 종족에게 지혜를 내려 주나요?

아리엘은 채팅창을 보더니, 피식 웃으며 말했다.

"그래. 아카식 페이지는…… ------."

-잉?
-왜 삐 소리가 나는 거임?

시청자뿐만 아니라.
성지한과 이하연 등, 모든 사람에게 들리는 소리였다.
이건 방송에서 욕설 등 비속어를 처리하는 것과 비슷했다.
"역시 튜토리얼의 금제가 걸려 있군. 알려 주고 싶어도 못 알려 주겠다."
스ㅇㅇㅇ-
그러더니 다시 검은 연기로 변해 성지한의 팔로 빨려 들어가는 아리엘.
그녀는 완전히 사라지기 전에, 자신이 쥐고 있던 스마트폰을 성지한의 왼손에 넘기고 사라졌다.

-아. 뭐야.
-장난함?
-똥 싸다 끊기는 기분이네.
-최하급 종족 농락하고 가누 ㅋㅋㅋㅋ

시청자들은 궁금증만 유발한 채 사라져 버린 아리엘을 성토했지만.
이미 사라져 버린 아리엘에겐 닿지 않을 메시지였다.

"하, 하…… 그럼. 최하급 종족이 뭣도 모르고 아카식 페이지 3개씩이나 투자한, 스페이스 23 광고…… 찍으러 가 볼까요? 오너님?"

환하게 웃고는 있지만, 도저히 웃을 수 없는 말을 건네는 이하연이었다.

–길마 빡침 ㅋㅋㅋㅋㅋ

–다크 엘프가 갑툭튀해서 극딜 박고 사라졌으니ㅋㅋㅋㅋ

–쉐도우 엘프임. 중상급 종족님이시잖어~

–최하급이라…… ㅎㅎ;; ㅋㅋ;; ㅈㅅ!!

아카식 페이지의 진정한 가치는 모른 채, 핸드폰 접는 거에 페이지 3개를 쓴 바보 취급을 당했으니 그럴 만도 했다.

"가시죠."

성지한이 자리에서 일어나 걸어갈 때.

왼팔에서 아리엘의 목소리가 들렸다.

[주인. 사실 아까 소리는 내가 낸 것이다. 작은 잔재주지.]

'……뭐?'

그 삐 소리를 아리엘이 낸 거였다고?

성지한은 어이가 없었지만.

[방송에서 이런 고급 정보를 풀 수는 없지 않는가?]

아리엘이 그리 말하자, 금방 납득했다.

그녀가 알고 있는 아카식 페이지의 활용도는, 지구상에서 그 누구도 모르는 유니크한 정보.

이걸 대중에게 바로 푸는 건, 바보나 저지를 일이었다.

[……방송 끝나면 알려 주겠다.]

성지한은 아리엘의 말에 고개를 끄덕였다.

아카식 페이지에 대한 이야기를 듣기 위해서라도.

광고 촬영, 빨리 끝내야 할 것 같았다.

* * *

광고 촬영 현장.

"컷! 수고하셨습니다!"

CF 촬영 감독의 완료 사인이 나오자.

ー뭐야~~~~ 벌써 끝이에요?
ー진짜?

방송을 지켜보던 시청자들이 아쉬움을 내보였다.

광고 촬영이 예상한 것보다 너무 빨리 끝난 것이다.

ー아니 왜 NG가 안 나냐!!!
ー잘하는 걸 어떡함;

-우리 지하니 못하는 게 뭐야…… ㅠㅠㅠ

-좀 못해서 오래 찍어 주지…… 깐지하니 이제 언제
보겠어 ㅠㅠㅠ

평소보다 여성 시청자의 비율이 높은 채팅창엔 아쉬움
이 가득했다.

"와. 오너님 왜 이렇게 잘 찍어요?"

"감독님이 잘 이끌어 주신 덕이죠."

"아이고~~ 아닙니다. 플레이어신데도 너무 잘 찍으셨
어요."

배틀넷 플레이어.

세상의 모든 꽘심이 배틀넷에 집중되며.

스타 중의 스타로 떠오른 그들은, CF 업계에서 가장
핫한 존재였다.

하지만 그것과 연기력은 별개였으니.

일반 배우를 촬영하는 것에 비해, 플레이어를 촬영하는
건 매우 힘들었다.

'근데 성지한 씨는 훨씬 수월했어.'

CF 감독은 조금 전 촬영을 떠올렸다.

처음에 몇 번 NG 사인이 난 걸 제외하곤, 성지한은 감
독이 원하는 바에 딱 맞는 모습을 보여 주었다.

거기에.

-혹시…… 염동력을 사용해서 핸드폰을 띄워 주실 수 있겠습니까?

-가능합니다.

-펼치고, 접는 것도 될까요?

-물론이죠.

CF 촬영이 너무 빨리 끝나서, 혹시나 하고 추가로 주문해 본 촬영 컨셉도 성지한은 군말 없이 받아 주었다.

'배틀넷 관리국장이나 대한일보랑 잡음이 나기에 성깔 있는 사람인 줄 알았더니…… 예의만 바르구먼.'

지금껏 CF촬영을 진행했던 플레이어 중에서는 반말은 기본에 난폭하거나 괴팍함을 옵션으로 단 사람이 많았는데.

이들에 비하면 성지한은 천사였다.

"수고하셨습니다. 감독님."

"아, 예. 수고하셨습니다!"

성지한은 CF 감독에게 인사하며 생각했다.

'미국에서 찍을 때 비하면 쉽군.'

저번 생에서의 성지한은 미국에서 상당한 인기를 누렸다.

비록 아메리칸 퍼스트의 얼굴인 배런이나, 성녀 소피아를 뛰어넘을 정도는 아니었지만.

전사로서 워낙 뛰어난 실력을 보였기에, 인기가 없을 수가 없었다.

그런 인기를 바탕으로, CF 촬영도 원 없이 했기에.

이런 짧은 촬영쯤이야 익숙하게 할 수 있었다.

"오너님~ 촬영이 제 생각보다 엄청 빨리 끝났네요. 이러면 시간이 좀 남았는데…… 길드 관련해서 보고드려도 될까요?"

이하연은 웃으며 다가오다, 카메라 쪽을 힐끗 바라보았다.

"아. 여러분~ 제 생각보다 촬영이 일찍 끝나서 그런데…… 여러분도 같이 보실래요?"

-????????
-설마 길드 다른 나라로 옮기나?
-뭐야. 벌써 한국 ㅃㅃ하는 거임?
-짧은 시간, 행복했습니다…….

길드 보고라고 하니, 다른 것보다 나라를 뜨는 게 먼저 생각나는지 채팅창이 난리가 났다.

그걸 본 이하연은 손사래를 쳤다.

"에이, 무슨 나라를 떠요. 그럼 이성 광고 찍은 건 어떻게 되겠어요. 그쵸, 오너님?"

-아. 그러네?ㅋㅋㅋㅋㅋㅋ
-그래. 그럼 이성 광고 한 의미가 없잖아.

"뭐, 세상일은 모르는 거죠. 절 싫어하는 분들이 워낙 많으셔서."

성지한이 의미심장하게 이야기하자, 채팅창이 난리가 났다.

-형아야…… 농담이죠?
-오빠 누가 싫어해요 ㅠㅠㅠㅠ
-어떤 놈이야! 관리국장? 아님 대한일보?
-걔들 끝난 거 아니었음?
-공식 사과 안 했잖아.
-아니,,, 쓰으,,, 발~ 감히 어떤 놈이 우리 지한 님에게,,,!!
-이거 묵과해서는 안 됩니다…… 더 퍼스트 차원에서,,, 조져야 합니다!!
-아니 으르신들 이거 계속 보고 계셨던 거임?
-할배들 화났다 ㄷㄷㄷ;
-이거 옛날 검왕가의 향기가 느껴지는데 ㅋㅋㅋㅋㅋ

남녀노소가 채팅창에 모두 보이는 상황.

성지한은 그걸 보고 슬쩍 미소 지은 채 말했다.

"여러분. 아직은 어디 갈 생각 없으니 안심하세요. 일단 새 영상이 바로 올라올 테니…… 같이 보고 들어 볼까요? 마스터님?"

"아. 네. 그럼 길드 사무실 가서, 바로 생방송 진행할게요~ 좀 이따 봐요~!"

이하연이 손을 흔들었지만, 채팅창의 분위기는 험악하기 그지없었다.

성지한의 적이라면 그 누구가 되었든 조져 버릴 분위기.

이하연은 그 채팅을 바라보다, 성지한에게 물었다.

"오너님…… 진짜 나라 옮기실 생각이세요?"

"아뇨. 아직은 생각 없어요."

"그럼 왜…….'

성지한은 주위를 슬쩍 바라보다, 이하연의 귓가에 입을 가져다 댔다.

"이렇게 어그로를 끌어야 다음 영상도 많이 따라올 거 아니에요?"

"헐."

그래서 그런 거였어?

"굳이 안 그러셔도 되는데…….'

"거기에 공식 사과가 없는 건 사실이잖아요."

씨익-

성지한이 입가에 미소를 짓자, 이하연은 등골에 살짝 소름이 돋았다.

'……겸사겸사 한 거구나.'

역시 절대 적으로 돌리면 안 될 사람이야.

그녀는 그리 생각하며, 성지한과 함께 길드 사무실로
향했다.

* * *

"여러분. 안녕하세요~~ 오늘은 저희 대기 길드와 관
련된, 중요 보고가 있어서 또 이렇게 영상을 찍게 되었습
니다~!"
그렇게 길드 채널의 생방송을 다시 연 이하연은.

−아니, 중요 보고라니……
−형 한국 떠나는 거 아니죠? ㅠㅠㅠㅠ
−관리국장 해임 건의 국민 청원 좌표입니다. 모두 동
의해 주세요~
−뭐여 청원 올라온 지 30분 만에 2만 돌파했는데ㅋㅋ
ㅋㅋㅋㅋ
−이게…… 더 퍼스트의 위엄?

성지한이 성공적으로 어그로를 끈 결과를 보게 되었다.
이러다가는 주객이 전도될 상황.
"아. 오너님 안 가신대요! 중요 보고 안건은 그 문제랑
연관이 없는 거예요. 그죠, 오너님?"
"네. 맞습니다."

이하연은 황급히 이를 진화하며, 본론을 꺼냈다.

"자자. 그것보다…… 상태창을 공개한 저희 세 길드원의 상태창 한번 봐 보시겠어요?"

윤세아와 디에고 마시드, 거기에 임가영의 상태창이 Before와 After로 나뉘어 공개되었다.

그중에서 가장 눈에 띄는 건 윤세아의 상태창이었다.

-어. 윤세아 체력이 13인데?

-레벨 5에 잔여 포인트 +3 그냥 남겨 둔 채인데……

-원래 11에서 스타트했는데? 그럼 2 오른 거임?

-리그 시작한 지 일주일도 안 지났는데?

-일주일 만에 체력 2를 올렸다고? 실화냐!

저번에 +1 오른 뒤, 5일 동안 체력 1을 더 올린 윤세아.

하나 놀라운 성장을 보여 준 건 그녀뿐만이 아니었다.

-마시드도 마력 1 오름ㄷㄷㄷ

축구의 신이라는, 현재로선 웃음거리 특성을 지니고 있는 디에고 마시드.

그의 마력도 자연적으로 1 오른 것이다.

"마시드 님은 지금 계속 1등을 달리고 있어요."

일부러 계속 패배해서 레벨을 1까지 떨어뜨린 마시드.

클래스가 초기화된 후, 마법사로 전직한 뒤 리그를 달리는 그는 현재 미친 성적을 보여 주고 있었다.

축구공을 꼭 닮은 아라크네의 성물을 통해 마법을 사용하니, 모두가 이에 대항하지 못하고 초토화가 되었다.

마치 실버 마법사가 브론즈에 온 듯한 위력.

성지한이 브론즈 리그에서 보여 주었던 압도적인 성적을, 그대로 뒤따라하고 있었다.

- 마시드 3대 트롤러 아녔음? 갑자기 왜 저렇게 된 거임?
- 마법 쓰더니 개잘핵ㅋㅋㅋㅋㅋ
- 햐…… 근데 무슨 스탯을 저렇게 쉽게 올려?
- 진짜 성장률 증가 효과가 쓸모 있는 건가?
- 임가영만 안 올랐누 ㅋㅋㅋㅋ
- 길드 가입한 지 일주일도 안 지났잖아. 저게 정상이지.
- ㄹㅇ안 오르는 게 당연한데 저기 끼니 비정상으로 보이네

"혹시 오너님도 스탯 오르신 거 있으세요? 공개는 안 하신다고 해도."

"그림자 능력이 오르긴 했습니다."

"아! 그럼 가영이 빼곤 다 효과 봤네요."

이하연은 마침 길드 사무실로 들어온 임가영을 보며 씨익 웃었다.

조금 전까지 배틀넷 경기를 치르다 온 임가영은 이하연의 미소를 보곤 미간을 찌푸렸다.

"아가씨. 왜 절 보면서 그렇게 웃으십니까?"

"응. 가영이만 능력치가 안 올라서 아쉬워했어."

"……곧 오를 겁니다."

"게임 속에서도 훈련, 하는 거지?"

"무슨 훈련을 말씀하시는 겁니까?"

"이렇게."

이하연이 모니터를 돌려, 윤세아 채널의 영상을 보여 주었다.

서바이벌에서 무거운 갑옷을 입고 온종일 뛰어다니고.

디펜스 맵에서 좀비가 올라오기 전까지 스쿼트만 수백 번 반복하는 모습.

임가영은 이를 보고 고개를 설레설레 저었다.

"저러면 나중에 못 싸웁니다."

"스탯이 오르잖아. 스탯이!"

"……해 보겠습니다."

방송에 비추는 모습에, 시청자들은 경악했다.

배틀넷 게임 내에서 헬스하는 것도 아니고.

저건 너무 심한데.

─않이…… 체력 안배해야 하지 않음? 저 갑옷 입고 저 딴 운동을 한다고?

-통각 감소 있어서 어차피 졸라게 해도 괜찮지 않나?

-배틀넷상 통각 감소랑 근피로랑은 또 다르게 작용할 걸??

-미친…… 저 정도는 해야 오르는구나.

"세아는 게임 끝나고도, 매일 운동하면서 살아요. 그죠?"

"예, 제가 매일 힐 넣어 주고 있죠."

-힐 받으면서 운동을 한다고???

-독하다 독해 ㄷㄷ

성장률 증가 효과가 가장 크게 작용했겠지만.

윤세아의 체력이 단기간에 2나 오른 데에는 이유가 있어 보였다.

-이거 근데 진짜 미쳤는데?

-스탯 1개 올리려면 렙 업해야 하는데 윤세아 같은 경우는 2개 꽁으로 업한 거네?

-ㄹㅇ이런 격차를 초반에 만들어 놓으면, 나중에 스노우볼 오지게 굴릴걸?

-와, 육성형 길드 헛소린 줄 알았는데.

-지한 님이~~ 하시는데~~ 당연히~~~~ 효과 있지!!

성장형 길드의 성장률은 엄청났지만, 이게 진짜 효과가 있는가에 대해서는 미지수라는 게 대중의 판단이었다.

하나, 이번 이하연의 스탯 성장 공개로 성장률이 눈에 띌 만한 효과가 있다는 것이 판명 났다.

"사실 오너님께는 이주에 한 번, 정기적으로 길드원들의 스탯 상승에 관한 보고를 올리려고 했습니다만…… 벌써 육성형 길드에 걸맞은 놀라운 성과가 나와서, 빨리 보고드리고 싶었답니다."

그러면서 이하연은 카메라를 바라보며, 손가락을 펴 보였다.

"그리고 여러 길드 관계자 여러분~ 두 자리는 이미 예약되었고 세 자리가 남았으니, 언제든지 빠른 성장을 원하는 유망주는 임대 보내 주세요! 1달에 단 500만 GP로 임대 받습니다!"

-500만 GP ㄷㄷㄷㄷ
-한 달에 50억 개비싸네;;
-근데 1달에 스탯 1, 2개만 가져간다고 하면 손해는 아님
-1, 2개만 확실히 가져가면 손해는 무슨 개이득이지 ㅋㅋㅋㅋ 1레벨 차이나 다름없는데. 다이아 가면 레벨 졸라 안 오르잖아.

유망주 육성 임대료 50억.

일반인이 보기에는 한없이 비싼 가격이었지만.

이걸로 스탯 포인트를 몇 개라도 얻을 수 있다는 확신이 있다면, 이 가격은 오히려 싼 편에 속했다.

"근데 두 자리나 예약되었다고요?"

"네. 아메리칸 퍼스트와 인민회에서 유망주 한 명씩 보내기로 했어요. 그리고……."

"그리고?"

이하연은 카메라를 힐끔 바라보았다.

'신 자위대에서도 임대 보내겠다고 한 걸, 보류 상태로 놔뒀다고 굳이 여기서 이야기할 필요는 없겠지.'

검왕이 나라를 뜬 이후, 한국인들이 신 자위대에 품고 있는 감정은 격렬한 증오에 가까웠으니까.

'오늘 방송 이후, 세 자리가 금방 차면 굳이 안 받아도 되고.'

이하연은 그렇게 생각하며, 살포시 웃었다.

"지대한 관심을 보이는 길드도, 다섯 군데가 넘어요."

신 자위대 이야기는 꺼내지 않고, 이 말을 마지막으로 방송을 끝낸 이하연.

이날의 방송은, 배틀넷 업계에 큰 파장을 낳았다.

실제로 성장률 증가 옵션이 효과가 있음이 증명되었으니까.

-정말로 성장률 증가 옵션이 효과가 있었다니……
-성지한이 길드마스터를 이하연으로 내세운 데에는
이유가 있을 것이다.
-그녀의 기프트는 뭐지?

대기 길드에 대한 조사가, 여러 곳에서 이루어지기 시
작했으며.

-일단 남은 자리에 저희 플레이어를 보내야 합니다.
-한 달에 500만 GP라니, 너무 비싸지 않소?
-겨우 일주일도 안 돼서 스탯이 올랐습니다. 나중 가
면 500만 GP는 헐값으로 평가될 겁니다.

간만 보던 타 길드에서, 본격적으로 자신들의 유망주를
집어넣으려 하고 있었다.
그리고.
한때 세계 최고의 유망주였던 배런도, 이 방송을 보며
생각을 바꾸었다.

* * *

요 며칠, 배런은 생각했다.
'이대로는 안 돼.'

TOP 100 경기 이후, 성지한은 그가 가장 경계하는 라이벌로 자리 잡았다.

그는 협곡 맵에서 정글 몬스터를 가볍게 잡고 날아다니는데.

배런은 몇 번을 시도한 끝에, 겨우 정글 몬스터 한 마리를 쓰러뜨릴 수 있었다.

그것도 가장 약한 걸 잡았을 뿐, 더 강력한 몬스터는 엄두도 내지 못했다.

'성장해야 한다.'

세계 최고의 유망주.

거기에서 더 나아가, 세계 최고의 플레이어가 되기 위해서는 어떻게든 성장을 해야 했다.

'자존심을 부릴 때가 아니다!'

술이 깨고 난 이후.

머리가 차분해진 배런은 생각에 생각을 거듭했다.

대기 길드의 성장률 버프가 효과가 있다는 것이 증명이 되었으니까.

이제는 가야 했다.

"로버트. 저번에 대기 길드로 유망주 보내겠다는 거, 내가 하겠다."

"흠. 저희 길드원 중 한 명이 크게 관심을 보이고 있었습니다만."

"누가?"

"서포터 소피아요."

배런은 그 말을 듣고 미간을 찌푸렸다.

서포터 소피아.

이제 19살이 된 그녀는, 배런에 이어 아메리칸 퍼스트의 차세대 유망주 중 한 명이었다.

"서포터에게 그렇게 투자할 필요가 있겠나? 내가 가지."

"흠. 그녀는 자신이 꼭 가고 싶다고 했습니다만……."

"그녀를 보낼 건가? 흠…… 난 그럼 사비로라도 가지."

로버트의 두 눈에 이채가 서렸다.

배런이 이렇게까지 적극적으로 나오다니……

'대기 길드의 발표가 효과가 있었나 보군.'

그쪽에서 일주일도 안 돼서 스탯이 상승한 걸 보여 줬으니까.

플레이어라면 누구나 그 성장률 증가 효과를 누리고 싶겠지.

"저희 길드의 기둥이 되실 분에게 그럴 수는 없지요. 한 자리 더 예약하겠습니다."

"그럼 우리 길드에서 둘이나 가는 건가?"

"그렇습니다만……."

"그럼 우리가 직접 갈 필요 없이 저쪽 길드마스터보고 오라고 하지. 코리아까지 언제 가나? 저쪽 마스터는 어차피 현역 플레이어도 아니잖아? 우리 같은 플레이어들은 하루 이틀이 아쉽다."

뉴욕에서 한국까지는 직행으로도 14시간.

왕복하고, 체류하는 시간까지 합하면 적어도 2일 정도
는 배틀넷 플레이를 하기 힘들 것이다.

특히 배런은 자택에 있는 배틀넷 커넥터가 아니면 게임
을 플레이하지 않을 정도로 까다로워서, 한국에 가면 그
동안은 배틀넷을 전혀 하지 못할 터였다.

"알겠습니다. 한번 이야기를 꺼내 보겠습니다."

"그래. 부탁하지."

한편.

소드 팰리스 빌딩 옆 건물에 있는, 일본무역상사 한국
지부 사무실.

신 자위대의 영입부장 다케다 카즈오가 자기 집처럼 쓰
고 있는 그 공간에는 한 여자가 그의 컴퓨터 자리를 꿰찬
채 코를 후비고 있었다.

"하아암…… 배틀튜브도 지겹네."

추리닝 차림에 화장기 없는 얼굴.

묶은 머리는 며칠 감지 않았는지 기름기가 좔좔 흐르고
있었으며.

피부는 여드름 투성이고, 끼고 있는 안경은 도수가 높
은지 눈이 점처럼 작아 보였다.

"얘는 밥 사 온다더니 언제 와."

꼬르르륵-

그녀는 배에서 소리가 나자, 입술을 툭 내밀며 불만스럽게 말했다.

그러자 얼마 지나지 않아.

"죄, 죄송합니다!"

문이 쾅 열리며, 다케다가 사무실 안으로 헐레벌떡 뛰어왔다.

"오늘은 뭐 사 왔어?"

"저번에 스시 드시고 싶다고 하셔서, 제가 공수해 왔습니다."

"스시? 한국에서 무슨 스시야. 본국에서 먹어야지. 쯧쯧."

"죄, 죄송합니다. 여신님……."

여자를 여신으로 부르는 다케다.

하지만 그녀는 여신이라고 하기에는, 전혀 어울리는 외모가 아니었다.

겉으로 보기에는 흔히들 연상되는 히키코모리의 표본이나 다름없었으니까.

"냠냠…… 그래도 여기 좀 맛있는데? 본토와는 또 다른 풍미가 있어……."

"오오! 이 무슨 자비로운! 그렇게 말씀해 주시니 영광입니다!"

"흠. 먹을수록 맛있는데…… 다케다. 저거 네 걸로 사 온 거야? 나 먹어도 되지?"

"물론이죠!"

여인의 말에, 먹을 것을 그 무엇보다도 소중히 여기는 다케다는 망설임 없이 스시를 바쳤다.

이런 일이 한두 번이 아닌지, 예전보다 얼굴 살이 홀쭉해진 다케다였다.

하지만 그의 눈은 여인의 칭찬에 고무된 듯, 열성적으로 빛나고 있었다.

"아, 잘 먹었다. 그럼, 타깃 이야기를 해 볼까?"

"예. 신 자위대에서 임대 오퍼를 넣었는데, 저쪽에서는 안 받을 모양입니다."

이하연이 일부러 보류하고 있는 신 자위대의 임대 제안.

다케다는 이미 그 제안이 거절될 거라 예측하고 있었다.

"흐응…… 역시, 우리에게 감정 있어 보이지?"

"아무래도 그런 것 같습니다."

"그때 딸도 데려올 걸 그랬나? 그럼 타깃이 조카 생각은 끔찍하니, 우릴 따라왔을지도 모르는데. 아니, 그랬다가는 검왕 확보가 실패했을지도……."

혼자서 주저리주저리 중얼거리던 여인은, 갑자기 빠르게 컴퓨터 키보드를 두드렸다.

그녀가 접속한 곳은 한국의 구인 사이트였다.

[대기 길드에서 영상 컨텐츠 편집자를 모집합니다.]

"이렇게 된 이상, 길드 스태프로 잠입해야겠어."

다케다는 구인글을 보며, 이마에 흐르는 땀을 닦았다.

"저…… 외람되지만 여신께서는 편집 작업도 가능하십
니까? 저거, 배틀튜브 편집 일 같습니다만."

"흐응. 당연하지."

그녀는 자신의 얼굴을 쓰다듬자.

피부에 덕지덕지 붙어 있던 여드름이 스르르 사라지
며, 깨끗한 피부로 변했다.

"편집은…… 내 전문이잖아?"

* * *

"이제 아카식 페이지에 대한 이야기를 들어 볼까. 아리엘."

집으로 돌아온 성지한이 읊조리자.

팔꿈치 쪽에서 검은 그림자가 퍼지더니, 아리엘이 모습
을 드러냈다.

"아카식 페이지는…… 서포팅 기프트를 지닌 이들의
장비다."

"장비라고?"

"그래. 아카식 페이지는 서포팅 기프트의 능력을 증폭
시켜 주지."

아리엘은 성지한의 책상 위로 손을 뻗었다.

검은 기운이 뻗어 가며 쥔 것은, 이번 광고를 찍고 선물로 받은 스페이스 23 기종이었다.

"비록 영구적으로 작용하지는 않지만…… 그만큼 증폭 효과가 뛰어난 물건이다. 겨우 이런 기계를 접고 펴는 데 쓰일 만한 것은 아니야."

그러며 아리엘은 이해할 수 없다는 듯이 고개를 설레설 레 흔들었다.

"아카식 페이지의 아이템 설명에도 서포팅 기프트를 뒷받침한다고 쓰여 있을 텐데. 왜 그딴 데다 쓰는지 이해 를 못 하겠군."

"음. 그런 설명은 없었는데?"

지구에 나온 아카식 페이지의 아이템 설명은 단순했다.

[아카식 페이지]
-등급 : SS
-초차원 정보집합체에 접촉합니다.

예전에는 어떻게 쓰는질 몰라, '인터넷에서 가장 쓸모 없는 SS급 아이템'이란 짤방으로 쓰였던 아카식 페이지.

성지한이 그걸 찾아 아리엘에게 보여 주자, 그녀는 이 를 보고 눈을 깜빡였다.

"감정 안 하나? 감정 기프트를 지닌 플레이어가 있을 것 아닌가."

"지구에서 SS급은 감정 못해."

감정 기프트를 지닌 플레이어 중, SS급을 감정할 수 있는 이는 아무도 없었다.

감정 기프트 최소 등급이 A는 되어야 했기 때문이다.

"하…… 최하급 종족 인구가 얼마나 되지?"

"70억쯤 될 거다."

"70억? 그 많은 사람 중 단 하나도 SS급을 감정하지 못한다고? 역시…… 최하급 종족이다!"

납득한 듯 고개를 끄덕이는 아리엘.

그녀의 머릿속에서 인간 = 최하급 종족 공식은 더 공고해진 듯했다.

"그리고 저게 알려졌어도, 지금처럼 쓰였을 확률이 커. 이 세계에서는 서포팅 기프트를 쓰는 경우가 거의 없거든. 그 기프트를 받으면, 그냥 일반인처럼 살지."

그런데 기술 혁신을 버리고, 그런 이들을 위해 아카식 페이지를 투자한다?

지구인으로서는 상상할 수 없는 일이었다.

"이해할 수가 없군. 이 세계에도 던전 포탈은 생길 텐데. 그걸 없애려면 '탐색' 기프트를 지닌 플레이어가 필요하지 않는가?"

"뭣……! '탐색'이 있으면 던전 포탈 철거가 가능해?"

성지한은 아리엘이 툭 내뱉은 말에 두 눈을 크게 떴다.

던전 포탈.

튜토리얼 시기인 지금은, 리그 최하위 10퍼센트의 나

라에서만 생겨났지만.

튜토리얼이 끝난 이후에는 그 퍼센티지가 점차 확대되어서, 나중에는 최후의 10국 빼고는 모두 던전 포탈에 뒤덮여 모두 멸망하지 않았던가.

'던전 포탈의 문제는 완전 소멸이 불가능한 데 있었지.'

던전 포탈을 없애 보려는 시도는 여럿 있었다.

포탈 위에 폭격을 가해 보기도 하고, 플레이어들이 마법을 퍼부어 보기도 했다.

하지만 던전 포탈은 그런 외부의 충격에 절대 사라지지 않아서.

인류는 포탈 안으로 결국 진입하는 걸 택했다.

'하나 진입해도, 던전을 완전히 철거하는 건 불가능했다.'

던전 포탈 안의 모든 것을, 전술핵까지 사용해서 소멸시켜도.

던전 포탈은 하루가 지나면 더 강력해져서, 다시 재생되었다.

그렇게 변한 던전 포탈에서 나오는 몬스터 종류는 계속 뒤바뀌었는데.

어쩌다가 유령 계열의 몬스터가 나오면, 그 지역은 포기해야 했다.

비록 서포터나 마법사의 공격이 통하기는 했지만, 수가 너무 많아 그들만으로는 막을 수가 없었다.

그런데 탐색 기프트로 던전을 철거할 수 있다니…….

"그걸 몰랐나? 던전핵을 찾으려면 탐색 능력이 필수다."

"전혀…… 몰랐어. 서포팅 기프트, 상당히 쓸모가 많았
군."

"맞아. 때문에 우리 세계에서는 그들이 가장 대우받았
다. 서포팅 기프트를 천대하다니, 참…… 신기한 세계군."

아리엘은 도무지 이해할 수 없다는 듯 고개를 갸웃거렸
다.

그러다가.

"아…… 혹시, 최하급 종족의 서포팅 기프트 최고 등급
이 어떻게 되지?"

"내가 본 건 A가 최고야. 우리 길드마스터가 그 등급이
지."

"A가 최고라니. 그럼 C, D등 하위 등급이 즐비하겠군."

"그렇지."

"서포팅 기프트에서 그런 등급은 쓸모가 없지…… 일반
인 취급당하는 것도 당연하다. 그럼 전투 분야에서는?"

"SSS급이 여럿 있지."

"그래서 그런가…….."

아리엘은 무언가 납득한 듯, 고개를 끄덕였다.

"뭐 짐작이 가는 것이라도 있나?"

"주인의 종은 전투에 너무나도 어울리지 않는다. 일단
급소가 너무 많아."

아리엘이 손가락으로 자신의 가슴을 가리키자, 그곳에 구멍이 뻥 뚫렸다.

"쉐도우 엘프는 이래도 죽지 않고."

목을 가리키자.

목이 떨어지며, 머리가 공중에 둥둥 떴다.

"목만 남아도 생존한다."

"……대단하군."

"이게 중상급 종족의 생존력이지. 하나 인간종은 참 죽기 쉽더군. 전투 능력으로 따지면 배틀넷에 참가하는 종족 중 최하위겠지."

성지한은 예전에 스페이스 리그에서 적으로 나왔던 종족들을 떠올려 보았다.

'……확실히 종으로만 따지면, 제일 약했지.'

인간은 기본 신체 능력 자체가 이종족에 비해 매우 뒤처져 있었다.

거기에 급소도 많고, 몇 군데라도 찔리면 과다 출혈로 죽는 것에 반해서.

다른 종족들은 팔다리가 잘려도 갖다 대면 멀쩡히 달라붙고, 불가사리처럼 아예 재생하기도 했다.

특히 '엘프'의 생명력은 바퀴벌레도 한 수 접어 줄 수준이라, 밸런스상 같은 리그에 있으면 안 될 수준이었지.

"그런 허약한 인간종이 배틀넷에 참가했으니…… 밸런스를 맞추기 위해 시스템에서 뛰어난 기프트를 부여했군. SSS급 기프트를 받은 이가 여럿 있다니."

"다른 종족은 안 그러나?"

"그렇다. 우리의 별이 스페이스 리그에 처음 참가했을 때만 해도, 전투직 최고 기프트 등급이 A였지."

"그 대신 서포팅 기프트는 잘 받고?"

"그렇다. 평균이 B급, 최고는 SSS급까지 있었지."

성지한은 고개를 끄덕였다.

'이 녀석, 전투보다 정보를 알려 주는 게 더 쓸 만하군.'

태양의 그림자 아리엘.

소환수로 역할을 하는 거나, 그림자검으로 쓰일 때도 물론 유용했지만.

그것보다 다른 세계의 정보를 알고 있다는 점이 지금은 더 유용했다.

탐색 능력으로 던전핵이란 걸 찾을 수 있다니…….

'이 정보는 나중에 공개해야겠군.'

지구를 위해서라면 던전 포탈 철거에 대한 정보를 지금이라도 바로 공개하는 게 좋겠지만.

성지한은 냉철히 판단했다.

'이 정보가 아리엘에게서 나왔다는 게 알려지면, 내 신변이 위험할 수도 있다.'

지금은 성지한이 세계 제일의 유망주라 대우받고 있지만, 아리엘이 이세계의 리그 정보를 알고 있다는 게 알려지면 강대국 정보 조직의 표적이 될 수 있었다.

아무리 성지한이 강해도, 지금 당장은 실버.

나라 단위의 표적이 되어서야, 버텨 내기가 힘들었다.

'내가 감당이 가능할 때 정보를 풀어야겠어.'

어차피 지금 당장은 튜토리얼 기간이라, 던전 포탈로 세계가 크게 위험한 게 아니라는 점도 한몫했다.

'그건 그렇고…… 아카식 페이지는 확보할 필요가 있겠군.'

서포팅 기프트의 효과를 증폭시킨다니.

한참 성장해야 할 성지한에게는 꼭 필요한 물건이었다.

이하연의 육성 능력을 강화하면, 자신도 혜택을 보게 되니까.

'얻을 방법을 알아봐야겠어.'

＊　＊　＊

[종말의 협곡에 소환되셨습니다.]

[당신은 천사 진영입니다.]

[천사를 도와, 악마 진영을 점령하세요.]

'드디어 천사 진영이군.'

성지한은 오랜만에 쾌재를 부르는 중이었다.

실버 리그로 진입한 이후 6번의 게임을 치를 동안, 인베이드 맵의 천사 진영이 된 적은 한 번도 없었기 때문이다.

'인베이드만 4번이 걸렸음에도 불구하고 계속 악마 진영이었지…….'

50퍼센트 확률로 진영이 바뀌는데, 이쯤 되니 대천사의 검을 부순 죄로 저쪽에서 거부당하는 게 아닌가 싶었지만.

'그냥 재수가 없었군.'

7일차가 되는 오늘, 드디어 천사 진영이 되어 사신의 낫 조각을 얻을 기회를 잡게 되었다.

한편, 성지한과 같은 팀이 된 천사 진영 플레이어들은 그의 얼굴을 보자마자 뛸 듯이 기뻐했다.

"와! 성지한이다!"

"아즈아아아!!! 인베이드 첫 판인데!"

"나도 드디어 버스 타는 날이 오는구나…… 흑!"

그도 그럴 것이.

─이번 버스 승객은 저 플레이어들인가요?

─인베이드 첫 판? 실버 뉴비들이넼ㅋㅋㅋㅋㅋ

─저번 판에도 성지한네 팀원들 죄다 레벨 20대 후반에서 30 초반대던데 ㅋㅋ

─이쯤 되면 배틀넷에서 공인한 버스 기사인 거 ㅇㅈ?

─ㅇ~ㅇㅈ~~~

맨 처음 게임만 해도 48~49레벨들의 사이에 껴서 게임을 했던 성지한이지만.

그가 그런 악조건 속에서도 아랑곳하지 않고 게임을 계속 터뜨리고 다니니, 이제는 만나는 팀원이 달라졌다.

옛날에는 고레벨과 만났다면, 이제는 갓 실버가 된 25레벨.

인베이드 맵 초보자들과 묶인 것이다.

그런데 상대편은 예전과 똑같이 40레벨 후반이라, 성지한만 제외하면 팀 전력은 압도적으로 적이 유리했다.

하지만.

ㅡ1레벨들만 모아 놔도 성지한 캐리 엔딩하는 거 나만 보이냐?
ㅡ어차피 5:1도 이기는데 뭘 새삼스럽게ㅋㅋ
ㅡ그니깐. 실버 플레이어 중 누가 정글 잡고 다니냐;
ㅡ배런 좀 하던데?
ㅡ아~ 라인전에서 버프 200퍼센트 두르고 정글 몹 잡는 거?
ㅡ그럴 거면 정글 왜 돌음?ㅋㅋㅋㅋ

시청자들은 아무도 걱정을 하지 않았다.

그리고 게임은, 당연히 그들의 예상대로 흘러갔다.

"아 씹…… 왜 상대편이 돼서!!"

푹!

인베이드 첫 게임에서 같은 팀이었던 이성 길드의 승급 준비팀.

성지한은 미드 라인에 선, 이성의 팀 리더의 머리를 무정하게 꿰뚫었다.

[플레이어 성지한이 미쳐 날뛰고 있습니다!]
[플레이어 성지한을 도저히 막을 수 없습니다!]
[플레이어 성지한이 천신의 가호를 받습니다!]

이제는 너무나도 익숙한 시스템 보이스.

성지한 채널의 시청자들은 이젠 별 감흥도 없이, 그의 다음 퍼포먼스를 기대하고 있었다.

-이번에는 우물 펜타킬 하나?
-그러게. 악마 진영으로 한 번 했으니, 천사 진영 되면 도전한다고 들었는데.
-근데 성지한 검이 암속성 아님? 같은 속성끼리 데미지 잘 안 박히지 않아?
-ㅉㅉ~~ 지한 님은~~~ 당연히 하실 겁니다~~~ 의심하지 마세요!!!

그리고 곧.

시청자들의 기대대로, 게임이 진행되었다.

"와…… 버스 탑승감이…… 마이마흐 저리가라네요."

"마이마흐라뇨. 이 정도면 롤스로이스 탄 거죠."

"아! 쌉인정합니다. 그럼 우린 쪼렙이니까 다음번에도 이번처럼 또 버스 기사로 오실 수도……."

성지한의 저레벨 팀원들은 편안하게 수다를 떨며 게임을 즐기고.

[적으로…… 안 만나기로 했잖아요……ㅜㅜ]

[아아아 나도 지한 님이랑 팀 먹고 싶다!!]

[우물 펜타킬은 안 당할 겁니다!!!!]

[정글에 짱박혀야지ㅜㅜ]

적 팀은 우물 펜타킬이라는 굴욕을 피하기 위해 플레이어들이 지키라는 기지는 안 지키고, 정글에 숨어 있었다.

-쟤들 본진 안 지킴? ㅋㅋㅋㅋ

-야 우물에도 안 있네;;;

-우물 펜타킬 영상이 배틀튜브에서 박제되긴 했지ㅋㅋㅋㅋ

-신박하다 정글에 숨을 생각을 하네 ㅋㅋㅋㅋ

"아. 이거 비매넌데."

우물 펜타킬 업적.

사실 이건 첫 게임 때 깼기에, 이번에 또 한다고 업적 포인트를 주는 건 아니었다.

그러니 굳이 우물 킬 할 필요 없이, 악마의 안식처에 쳐진 보호막을 공격해서 사신의 낫과 부딪치면 되었지만.

'혹시나 또 숨겨진 업적이 있을 수도 있으니까.'

성지한은 악마 진영으로의 전진을 멈추고, 정글을 뒤졌다.

무명신공無名神功
보법步法
섭천뢰보閃天雷步

맵이 넓긴 했지만.

"어…… 어떻게……!"

정글 몬스터가 지배하지 않는 영역만을 뒤지니, 생각보다 오래 걸리지 않아 플레이어들을 찾을 수 있었다.

"자. 자. 우물로 갑시다."

툭. 툭!

순식간에 점혈당해, 몸이 굳은 플레이어들.

성지한은 그를 포스로 띄워서 데리고 다니며, 악마 진영 플레이어들을 찾아다녔다.

"한 명은 본진에 있었으니. 당신이 마지막이군요. 넷이나 숨다니…… 참 나."

"흑흑. 배틀튜브에 박제당하기 싫었어요…… 그냥 이 겨 주시면 안 돼요?"

툭. 툭.

마지막으로 발견한 상대 팀 대장의 우는 소리를 무시하고 무심하게 점혈하는 성지한이었다.

"이럼 더 박제되는 겁니다."

성지한은 네 명의 플레이어를 두둥실 끌고 다닌 채 적 본진에 도착했다.

그리고 그 상태에서.

"자. 집으로 돌아가실까요?"

안식처 안으로 네 플레이어를 모두 집어넣었다.

쿵!

차곡차곡 쌓이는 네 명의 플레이어.

거기에 안식처에서 쉬고 있던 한 명이 추가되자, 다섯이 모두 우물가에 모였다.

성지한은 그들을 보며 씨익 웃었다.

"그럼…… 펜타 가 보죠?"

2장

2장

　-모조리 압송됐누ㅋㅋㅋ

　-우물 펜타킬을 하려는 집착 보소ㄷㄷㄷ

　-굳이 밖에서 죽여도 되는데 안식처로 던지는 거 봐
라ㅋㅋㅋ

　-숨는 것도 신박했는데 그걸 찾아서 연행하는 게 더
레전드ㅋㅋㅋㅋ

　5:5로 치열하게 힘 싸움하며 게임을 결판 짓는 종말의
협곡 맵에서, 한 명의 플레이어가 혼자 날아다니며 상대
방을 죄다 연행해 안식처로 던져 넣다니?

　상식적으로 말도 되지 않는 광경이었다.

　하지만.

그 플레이어가 성지한이라면, 모두가 이해할 만한 상황이었다.

"자……."

지지지직─

성지한의 왼손에서 이클립스가 뻗어 나오더니, 그 위를 새하얀 전류가 감쌌다.

이번에 파괴해야 할 대상은 악마 진영의 보호막.

저건 빛의 속성으로 공격해야 효율이 좋았다.

하지만.

지지직─

검에 깃든 새하얀 전류는 오히려 그림자의 힘을 약화시키고 있었다.

[주인. 아직 이클립스의 수준이 낮아서 빛의 힘을 포용할 수 없다. 오히려 마이너스 효과만 낼 거야.]

"역시 안 되나."

[SSS급으로 올라가면 모든 속성을 강화할 수 있지만, 지금은 암속성만 강화할 수 있다.]

SSS급이 되면 모든 속성 강화라니, 대단하군.

그래도 지금 당장 그림자검 이클립스와 천뢰의 힘이 완전한 상극인 건 어쩔 수 없는 노릇이었다.

성지한은 검을 거둬들이고, 인벤토리에서 봉황시를 꺼냈다.

'세 번 남았나.'

그림자 여왕 관련 퀘스트를 깰 당시, 두 번 사용했던 봉황시였다.

이제 세 번만 더 던지면, 아이템이 사라진다.

이 아이템을 계속 창처럼 사용하고 싶다면 의식적으로 투창을 피하면 되겠지만.

'굳이 아낄 필요는 없지.'

지금까지 쓸 만했다지만, 어차피 A급 아이템.

나중에 성장하면 더 좋은 아이템을 써야 하는데, 여기에 너무 집착할 필요는 없었다.

쓸 때는 써 줘야지.

지지지직-!

봉황시에 새하얀 전류가 질주했다.

이클립스 때와는 달리, 불의 힘을 품고 있는 봉황시와 궁합이 잘 맞는 천뢰였다.

이내 봉황시에 백염으로 뒤덮이며, 강렬한 기세를 뿜어 냈다.

[사신이 악마의 안식처를 위협하는 기운을 크게 경계합니다!]

[사신이 죽음의 불꽃을 지핍니다!]

천사의 안식처를 공격했을 때 번개가 내리꽂았듯이.

악마의 안식처를 공격하자, 성지한의 발치에 시커먼 불

꽃이 피어올랐다.

금방이라도 흑염이 그의 몸을 집어삼킬 것 같았지만.

무명신공無名神功

보법步法

섬천뢰보閃天雷步

성지한의 신형이 하늘 높이 뛰어올랐다.

대지에서 피어오르는 불꽃이 닿지 못할 만큼.

치이이익-!

포스를 사용하여 하늘에 몸을 띄운 성지한은, 봉황시를
맹렬히 불태웠다.

그러자 봉황시 안으로 완전히 갈무리가 되지 못한 강렬
한 힘이 날뛰며, 새하얀 전류와 불꽃이 혀를 날름거렸다.

[사신이 안식처의 가호를 강화합니다!]

[사신의 낫이 안식처를 직접 보호합니다!]

심상치 않은 기운을 느꼈을까.

악마 진영을 지키는 사신의 낫이, 선제적으로 안식처에
날아왔다.

성지한이 하늘에서 뿜어내는 힘이 얼마나 강력한지 알
수 있는 상황.

성지한은 봉황시에 담기지 못하고 이리저리로 뻗어 나가는 전류를 바라보았다.

'아직 완전히 컨트롤하는 것은 무리군.'

무명신공의 세 가지 신결 중 하나인 천뢰신결.

파괴력 하나는 발군이지만, 그만큼 조절이 어려운 무공이었다.

특히 지금은 스킬 '무명신공'의 백업 없이 사용하는 터라, 더 사용이 어려웠지만.

'그래도 브론즈 때보다는 수월해.'

25레벨 때에 비하면 능력치가 많이 올라서 그런지, 사방으로 뻗어 나가는 천뢰의 힘을 더 잘 조절할 수 있었다.

성지한은 힘을 한데 모았다.

무명신공無名神功

천뢰신결天雷神訣

벽력섬뢰霹靂閃雷

하늘에서 떨어져 내려오는 봉황시.

그것이 품은 뇌전은, 거대한 벼락이 되었다.

[사신이 안식처의 굴욕을 막기 위해 비장의 수를 사용합니다.]

[사신의 낫이 나뉘어, 안식처를 강화합니다.]

번개가 닿기도 전에, 이미 저걸 막지 못한다고 예측한
것일까.

사신의 낫이 나뉘었다는 시스템 메시지가 성지한의 눈
앞에 떠올랐다.

하지만.

'그래 봤자다.'

치이이익―!

어둠의 보호막이 일시적으로 뚫리자, 그 안에 있던 플
레이어 다섯의 몸뚱어리가 모두 숯덩이처럼 타올랐다.

거대한 벽력섬뢰 자체는 사신의 낫이 잠깐 뚫렸다, 막
아 냈지만.

그 안에 있던 플레이어들은, 그 잠깐의 화력을 견디지
못한 것이다.

[펜타킬!]
[플레이어 성지한이 펜타킬을 달성했습니다!]

대천사의 가호를 꿰뚫었을 때보다 훨씬 압도적인 위
력.

이는 예전에 비해서 성지한의 레벨이 5만큼이나 더 올
라 있는 데다, 무명신공의 세 가지 신결 중 위력만큼은 최고인 천뢰신결을 사용해서 가능한 일이었다.

[사신의 낫 파편을 획득합니다.]
[퀘스트 아이템입니다. 인벤토리에 자동으로 보관됩니다.]
[연계 퀘스트 – 사도의 흔적(1)을 클리어하였습니다.]
[보상으로 업적 포인트 20,000을 획득하였습니다.]
[연계 퀘스트가 사도의 흔적 (2)로 이어집니다.]

'드디어 깼군.'
가볍게 미소를 지어 보인 성지한은 연계된 퀘스트 내용
을 살폈다.

[연계 퀘스트 – 사도의 흔적(2)]
 –빛과 어둠, 그 어디에도 속하지 않는 사도는 두 진영
의 충돌을 획책한 채, 깊은 호수 아래에 숨어 있습니다.
 –교활한 사도, '내시드 백작'은 대천사와 사신의 무기
가 부서진 것을 보고 움직일 것입니다.
 –두 신물위 파편을 호수에 던져서, 백작을 호수에서
끌어내 토벌하세요.
 –보상 : 공허의 장막 / 업적 포인트 50,000
 * 주의 : 실버 리그에서 승급할 시, 이 퀘스트는 사라
집니다.

'진짜 내시드 백작을 잡으라고?'

연계 퀘스트를 확인한 성지한은 어처구니가 없는 심정이 되었다.

보상 자체는 어마어마했다.

예전에 그림자 여왕 관련 퀘스트를 깼을 때처럼, 업적 포인트 50,000을 주는 데다가.

'공허의 장막'이라는 보상도, 예사로운 게 아닌 것 같았다.

하지만, 그렇게 주는 데에는 이유가 있었다.

'내시드 백작은…… 플래티넘 플레이어들이 단체로 사냥하는 몬스터인데.'

레벨 100부터 시작하는 플래티넘 리그.

이에 소속된 플레이어 다섯이, 협곡 내에서 풀 버프를 받은 후에야 사냥이 가능한 게 내시드 백작이었다.

5명의 플래티넘이 달라붙어야 이기는 몬스터를 실버 혼자서 잡으라고 시키니 퀘스트 보상이 저렇게 좋았군.

'지금 당장 잡는 건 무리다.'

성지한은 냉정히 판단했다.

내시드 백작을 잡기 위해서는, 지금 가진 힘으로는 부족했다.

'레벨이 50에 근접할 때 도전해야겠군.'

일단은 레벨 업을 더 하자고 생각하며, 성지한은 악마 진영 본진이 터지는 걸 구경했다.

[두 진영의 안식처에서 펜타킬을 달성했습니다.]
[히든 퀘스트, '완전정복'을 클리어하였습니다.]
[업적 포인트 30,000을 획득하였습니다.]

천사와 악마 진영.
양쪽에서 펜타킬을 얻은 보상이 들어왔다.
'이번 게임은 소득이 많네.'
성지한은 득의의 미소를 지으며 로그아웃했다.

* * *

김포 공항의 전용기 전용 터미널.
그곳에, 아메리칸 퍼스트 길드의 전용기가 착륙했다.
비행기에서 내린 사람은 금발의 두 남녀 백인.
두 사람 다 큰 키에 빼어난 외모를 자랑해서, 단연 눈에 띄었다.
찰칵. 찰칵.
"오…… 진짜 왔다."
"배런과 소피아, 진짜 대기 길드 들어오려고 입국한 거야?"
"아메리칸 퍼스트에서 2명이나 보내다니…… 그럼 한 달에 100억이네?"
"유망주 키우는 걸 생각하면 싼 값이지 뭐."

기자들은 자기들끼리 대화를 나누며, 두 유망주의 사진을 찍었다.

비록 둘 다 실버에 불과했지만.

SSS급 기프트와, SS급 기프트를 지닌 두 사람은 이미 배틀넷 업계에서 널리 알려져 있었기 때문에 취재할 만한 가치가 있었다.

사방에서 터지는 플래시 세례를 보며, 배런은 미간을 찌푸렸다.

"젠장…… 이런 나라에서도 날 찍나? 어떻게 알고 온 거지? 성, 그놈이 보냈나?"

옆에서 그 말을 듣고 있던 소피아는 푸른 눈을 깜빡였다.

"배런. 성이 설마 그렇게 했겠어요?"

"그럴 만하지. 대기 길드마스터가 미국으로 건너와도 되는데, 굳이 우릴 여기로 부른 이유가 뭐라고 생각하나?"

로버트 게이츠는 대기 길드에 미국으로 출장을 와 줄 수 있냐고 정중히 요청했다.

길드마스터가 직접 온다면, 기존의 임대 계약 때 지불할 GP 말고도 상당한 추가 보상도 주겠다고 약속까지 하면서.

"길드마스터 여자는 미국 출장에 꽤 긍정적인 입장이었다고 들었다. 출장비가 상당했으니까."

"그런데 성이 길드마스터한테 가지 말라고 한 거예요?"

"그래. 왜 그랬겠나? 다 내 성장을 견제하기 위해 그런 거다."

'……착각도 참.'

누가 봐도 성지한을 의식하는 건 배런이지, 저쪽에선 별생각 없는 거 같은데.

소피아는 굳이 자신의 생각을 입 밖으로 내지는 않았다.

"Shit. 리무진도 한 대밖에 없나?"

"하. 왜 이렇게 좁아? 코리안 리무진은 수준이 이 정도인가."

"술은 뭐 이런 것밖에 없어? 싸구려라 못 먹겠군."

공항을 나서서, 리무진을 타면서도 쉴 새 없이 불만을 토해 내는 배런.

옆에 있던 소피아는 도무지 그 불평불만을 들어 줄 수가 없어서, 태블릿 PC를 꺼냈다.

귀에는 무선 이어폰을 꽂고, 배틀튜브에 접속한 소피아.

그녀는 구독하던 채널에 영상이 올라온 걸 보고 눈을 빛냈다.

'성…… 게임 중이었나 보네?'

플레이어 성지한.

그에 대해서 알게 된 건 TOP 100 경기에서가 최초였다.

리무진 옆자리에서 샴페인을 까고 있는 배런을 한 방에

리타이어 시킨 그 경기.

소피아는 그때의 성지한을 보고, 스스로도 깜짝 놀랄 만큼 그에게 매료되었다.

'역시 시원시원해……!'

평소에도 메이지, 아처보다는 맨 앞에서 싸우는 워리어를 좋아했던 그녀는.

혼자서 게임을 폭파시키는 성지한의 독보적인 무력을 보며, 그에게 깊숙이 빠져들었다.

물론 지금 당장 성지한보다 강력한 사람이야 많고 많았지만.

그들은 성지한만큼 자신이 소속된 리그를 압도하지는 못했다.

펑!

성지한이 일격에 정글 몬스터를 터뜨리자.

"와……!"

소피아는 작게 탄성을 내질렀다.

뭐든 한 방에 부숴 버리는 성지한.

블록버스터 영화도 위기는 존재하는데, 성지한 채널은 그런 것 따위 눈을 씻고 찾아 봐도 없었다.

일격에 적을 보내는, 극한의 사이다패스.

소피아의 취향에 딱이었다.

"칫……!"

소피아가 흥미진진한 눈으로 성지한 채널을 보는 걸,

배런은 마뜩잖은 눈으로 바라보았다.

저런 선망의 눈길은, 마땅히 자신만 받아야 하는데.

성지한이란 놈이 갑자기 TOP 100 경기에 튀어나오고 나서부터 모든 게 어그러지기 시작했다.

"오 마이 갓……!"

'오 마이 갓은 무슨!'

소피아의 탄성이 계속 터져 나오자.

빵!

그는 조금 전 스스로가 싸구려라고 말했던 샴페인을 병째로 들어 벌컥벌컥 마셨다.

'날 견제해서, 한국까지 부르고는…… 자기는 게임을 플레이하고 있다 이거지?'

굳이 한국으로 부른 이유가 라이벌인 자신을 견제하기 위해서라고 굳게 믿고 있는 배런.

길드 가입만 하면 고속 성장하겠다고 의지를 불태우는 그 배런.

'길드만 가입하면, 금방 역전해 주지……!'

그는, 리무진이 소드 팰리스에 도착할 때까지 술병을 놓지 않았다.

* * *

[오너님~ 아메리칸 퍼스트에서 손님 오실 거 같아요.]

"내려가겠습니다."

1일 1게임을 끝낸 성지한은 길드 사무실로 내려갔다.

예전에는 작은 사무실 하나만을 빌렸던 대기 길드는 어느새 소드 팰리스의 한 층을 모조리 임대하고 있었다.

이 건물에서 언젠가 이사 갈 것을 생각하면, 이렇게 통임대하는 건 그다지 좋지 않은 선택이었지만.

"정부에서 쓰라던데요? 임대료 안 받을 테니, 제발 써 달라고……."

소드 팰리스를 기부받은 정부는 건물 관리인을 파견하기는 했지만, 성지한 쪽에는 손도 대지 않았다.

펜트하우스에서 나가라고 소리를 바락바락 질렀던 배틀넷 관리국장은 이미 실권을 잃은 상태였고.

한국 정부는 성지한이 혹여 외국으로 간다고 할까 봐, 이런저런 편의를 봐주지 못해 안달이었다.

'여기서 이사 가긴 해야 하는데…… 세아 운동하기에는 펜트하우스만한 곳이 없단 말이지.'

밖에 있는 여러 유명 헬스장보다, 검왕 윤세진이 머물렀던 펜트하우스야말로 운동하기가 가장 좋았다는 게 아이러니한 상황이었다.

"예전엔 아빠 흔적 때문에 짜증 났는데…… 뭐 이젠 괜찮아.

어디 가서 이런 시설에서 운동하겠어?

　윤세아도 기프트를 받고 난 이후.
　매일 고강도 트레이닝을 반복하며, 이만한 시설이 없다는 데는 의견이 일치했다.
　'그런 걸 생각하면 사무실 확장하길 잘했지.'
　대기 길드 사무실이 엘리베이터 너머로 보였다.
　아직은 빈 공간이 많지만, 그래도 사람 몇몇이 오가며 분주히 움직이고 있었다.
　"오너님. 오셨어요?"
　"사람이 좀 늘었군요."
　"네. 지금 가장 시급한 영상팀을 좀 충원했어요. 오너님 영상을 비롯해서, 다른 길드원의 영상도 관심을 받고 있어서요."
　"좋네요."
　"저쪽이 영상팀이 쓰는 공간인데. 대부분 프리랜서로 재택근무를 하는 형태라, 자리가 많이 비어 있어요."
　그렇게 말한 이하연은 어깨를 으쓱였다.
　"정직원으로 뽑고 싶었는데, 편집자들이 워낙 재택근무에 익숙해서 그런가…… 출근을 안 하려고 그러더라고요."
　"그런데 한 분은 있네요?"
　"아~ 네. 저분은 나와서 하는 걸 선호하세요. 출근하는 기분이 든다나?"

영상팀이 사용하는 공간에서, 한 여자가 모니터를 뚫어지게 바라보며 마우스를 움직이고 있었다.

그러더니, 곧 성지한이 온 걸 봤는지.

자리에서 벌떡 일어나 이쪽으로 다가왔다.

"안녕하세요~~ 이번에 새로 입사한 주은지입니다!"

"반갑습니다. 영상 편집, 잘 부탁드려요."

안경을 낀 젊은 여성은 피부가 눈에 띄게 새하얀 걸 제외하면, 그다지 눈에 띄지 않는 인상이었다.

"넵! 열심히 하겠습니다! 저, 그런데. 성지한 님 팬인데 사인 좀…… 부탁드려도 될까요?"

"물론이죠."

주은지는 종이와 펜을 가져와, 성지한에게 펜을 내밀었다.

성지한이 펜을 받는 과정에서 둘의 손이 살짝 스쳤을 때.

"아. 저, 정전기가…… 죄송해요."

맞닿은 손에서 정전기가 살짝 일어났다.

"괜찮아요. 정전기로 죄송할 게 있나요."

성지한은 아무렇지도 않은 듯 웃으며, 주은지에게 능숙한 손놀림으로 사인을 해 주었다.

저번 생에서 워낙 많이 사인을 해서 그런지.

영어로 된 성지한의 사인은 꽤 멋들어져 있었다.

"오너님. 사인 잘하시네요. 연습하신 거 아닌가요?"

"뭐, 조금은?"

성지한은 자신의 사인을 바라보았다.

미국 시절 팬들에게 수없이 해 줬던 것과 똑같은 사인.

아무리 과거로 돌아왔어도, 습관이란 건 남아 있나 보다.

"정말 고맙습니다! 가보로 간직할게요!"

성지한에게 사인을 받아 들고 주은지는 눈웃음을 지으며, 활기차게 말했다.

"가보는 무슨…… 그럼 수고하세요."

피식 웃음을 터뜨린 성지한은 주은지에게 가볍게 인사한 후, 이하연과 같이 길드마스터실로 들어섰다.

그런 성지한을 멀거니 바라보던 주은지는 별안간 한쪽 입꼬리를 올렸다.

* * *

대기 길드의 길드마스터실.

성지한은 아메리칸 퍼스트에서 온 두 플레이어를 맞이했다.

'소피아도 왔군.'

성녀 소피아.

저번 생에서 성지한을 꽤나 귀찮게 했던 그녀는 이번

생에도 그에게 흥미를 지니고 있는지 눈을 반짝거리고
있었다.

그에 반해, 옆에 서 있는 배런은 탐탁지 않은 기색.

얼굴은 벌게져 있고, 술 냄새가 나는 게…….

'저 주정뱅이, 또 술 처먹었군.'

성지한은 그들을 향해 악수를 청했다.

"이렇게 뵙게 되어 반갑습니다."

"배런이오."

배런은 성지한과 악수를 짧게 끝내고 손을 치웠지만.

"소피아예요. 방송 잘 보고 있어요. 팬이에요."

"그렇게 말씀해 주시니 감사하군요."

"어쩜 그렇게 강하실 수가 있죠? 제가 본 이들 중에서
최고예요!"

"과찬입니다."

"사실, 전사 중에서는 소드 킹 윤을 좋아했는데…… 그
보다 뛰어난 가능성을 보여 주는 플레이어가 나올 줄은
몰랐어요. 한국은 전사의 나라인가 보죠?"

"소드 킹은 일본에 갔습니다만."

"그래도 태생은 여기잖아요?"

소피아는 성지한의 손을 두 손으로 꼭 잡은 채, 열성적
으로 이야기를 하고 있었다.

"그런데 영어 참 잘하시네요?"

"한국인들은 원래 다 영어 배웁니다."

"그래도 너무 잘하세요. 발음도 좋고. 거기에 얼굴도 화면보다 훨씬 핸섬하시네요…… 키도 크고."

"감사합니다."

듣는 사람이 민망할 만큼, 칭찬 세례를 퍼붓는 소피아.

옆에 있던 배런이 도무지 못 들어 주겠다는 듯 한 소리를 했다.

"소피아. 그만하지? 여기가 무슨 팬 사인회인 줄 아나?"

"어머. 저 그러려고 온 건데! 오늘도 오면서 성 방송을 봤다니까요. 아, 성! 앞으로 지한이라고 불러도 되죠?"

"……그러십시오."

"와. 정말 고마워요, 지한! 그럼 사인도 좀!"

아직도 성지한의 손을 놓지 않은 채 소녀 팬처럼 비명을 질러 대는 소피아.

배런의 표정이 더욱 일그러졌다.

저 꼴을 언제까지 봐야겠는가.

"후우…… 마스터. 임대…… 진행해 주시오."

"아. 네. 알겠습니다."

이하연은 소피아가 신기한지 그쪽을 쳐다보다가, 힘이 빠진 배런의 말에 화들짝 정신을 차렸다.

"길드마스터님도 영어 잘하시네요?"

"어릴 때 유학갔다 와서요."

"후후…… 통역이 필요 없네요."

아메리칸 퍼스트에서 딸려 준 통역사 쪽을 힐끗 바라보던 소피아는 화기애애하게 계속 대화를 진행하려고 했다.

하지만.

"소피아! 그만 잡담 떨지?"

"아. 알았어요. 정말."

배런이 험악한 표정을 지으며 재촉하자, 그녀는 더 이상의 대화를 멈추고 임대를 진행했다.

아메리칸 퍼스트 길드에서 탈퇴하고, 대기 길드에 가입한 둘은.

"이게 그 버프 효과인가……."

"와. 이게 말로만 듣던 성장률 버프군요?"

가입하자마자 받은 길드 버프 효과를 보고 눈을 빛냈다.

아메리칸 퍼스트 소속일 때 받은 올스탯 추가 효과는 사라졌지만.

그거야 나중에 재가입해서 효과를 누리면 되는 거고.

지금 당장은 이 성장률 버프를 통해, 스탯 성장을 노려야 했다.

"이렇게 간단한 걸. 길드마스터가 미국으로 오면 좋았을 텐데 말이오."

배런은 만족스러운 얼굴로 버프를 바라보다가, 또 비행기 타고 돌아갈 걸 생각하고는 미간을 찌푸렸다.

이럼 배틀넷을 이틀이나 못하게 되지 않겠는가!

"어머. 왜요? 전 와서 지한이랑 안면도 트고 좋은데!"

"흥……! 미국 출장 좀 오지, 왜 거절한 것이오? 로버트가 많은 대가도 약속했다고 들었는데."

배런의 물음에 이하연 대신 성지한이 나섰다.

"한 번 길드마스터가 해외로 떠나게 되면. 다른 길드에게서도 매번 그런 요구를 받게 될 겁니다. 길드마스터는 길드의 중심. 그렇게 이곳저곳 다니는 건 바람직스럽지 않습니다."

아메리칸 퍼스트에서 출장비로 거론한 액수는 꽤 탐났지만, 대기 길드의 핵심은 지금 서포팅 기프트 육성을 지니고 있는 이하연이었다.

괜히 외부로 싸돌아다니다가 그녀가 가진 능력이 노출되느니, 여기서 자리를 지키는 게 더 중요했다.

하나 이런 사정을 모르는 배런은 한껏 비웃음을 지으며, 성지한의 말을 자기 멋대로 해석했다.

"과연 그런가? 날 견제해서 그런 건 아니고?"

"……?"

성지한은 어이가 없었다.

견제라니, 누가 누굴?

"배런, 당신을 견제한다고요? 제가?"

"그렇소."

"제가 왜…… 견제를 하죠?"

성지한은 진심 의미를 모르겠다는 듯, 어깨를 으쓱였다.

"저한테 단 한 방에 죽은 플레이어를. 대체…… 왜?"

"읏. 그, 그건…… 실수였어!"

"아뇨. 그건 실수 아니에요. 배런. 당신의 능력 부족이죠."

성지한은 그렇게 단언하며, 입꼬리 한 쪽을 올렸다.

"대기 길드에 오신 걸 환영합니다. 배런. 제발 성장 좀 해서, 제가 견제해야 할 만큼 존재감 있는 플레이어가 되셨으면 좋겠네요."

"윽……."

"술 깨면 오늘 한 이야기가 부끄러울 겁니다."

"……가겠소!"

배런은 시뻘개진 얼굴로 길드마스터실을 나섰다.

괜히 한마디 했다가, 아무것도 얻지 못한 채 돌아가는 셈.

"아, 정말. 쓸데없이 자존심만 높네, 진짜……."

소피아는 그런 배런을 보고 고개를 설레설레 젓더니.

"지한~ 나중에 또 봐요~!"

성지한에게 웃는 얼굴로 손을 흔들고, 배런의 뒤를 따라갔다.

* * *

영상팀에서 작업을 하고 있던 주은지는 길드마스터실

을 힐끗 바라보았다.

'검왕한테도 통한 능력이…… 안 통하네?'

그녀는 일본에서 '여신'이라고 불리는 플레이어.

성지한과 접촉할 방법을 찾기 위해, 주은지라는 이름으로 성공적으로 길드에 잠입하고.

그에게 사인을 받으며 피부 접촉을 한 것까지는 좋았다.

그런데.

[접근 권한이 없는 상대입니다.]

지금까지 기프트를 사용하면서, 단 한 번도 나오지 않았던 메시지가, 떠올랐다.

'내 능력이 전혀 안 통하다니…… 이런 상대는 처음이야.'

상대가 실버라서 시시할 줄 알았는데, 이럴 거면 분신이 아니라 본체로 올걸 그랬나?

'SSS급 기프트한테는, 분신의 능력이 안 통하나?'

당연히 성지한이 SSS급 기프트를 지니고 있을 거라고 생각하는 주은지.

그녀는 씩씩거리며 사장실을 나오는 배런을 발견했다.

'저 사람도 SSS급이었지?'

배런 윌리엄스.

그는 성지한이 두각을 드러내기 전에는, 주은지의 다음 타겟이었다.

그녀는 배런의 이동 경로를 파악한 후.

서류 뭉치를 들고 자리에서 일어났다.

그러고는 그와 일부러 부딪치기 위해, 동선을 짰다.

"조심하세요……!"

배런을 뒤따라가던 소피아가 급히 말을 걸었지만.

퍽!

"뭐야?"

"아야……."

주은지는 배런에게 부딪쳐, 튕겨나갔다.

"What the fuck……."

자기와 부딪친 상대를 향해, 험하게 욕지거리를 내뱉으려던 배런은.

"아야야…… 죄송해요…… 아, 아임 쏘리……."

어색한 영어로 사과하는 주은지를 보고, 눈을 껌뻑거렸다.

"배런. 당신도 사과해요. 앞을 보고 다녀야죠!"

"으음……."

배런은 소피아의 지적도 들리지 않는 듯.

주은지의 얼굴을 뚫어지게 쳐다보았다.

"미안하군……."

그는 입으로는 사과를 하면서도.

눈으로는 주은지의 얼굴을 계속 쫓았다.

"아. 아임 오케. 쏘리. 쏘리……!"

주은지가 황급히 서류더미를 정리하고 자리를 떠나자.

배런은 그 뒷모습을 멍하니 바라보았다.

이 감정…… 대체 뭐지?

'저렇게 평범하게 생긴 동양인한테…… 내가 왜?'

"뭐 해요?"

"……아니다. 가자."

소피아의 지적에 엘레베이터로 향하는 배런.

하나 그는 가면서도, 몇 번이고 힐끗 뒤를 쳐다보았다.

주은지는 그 시선을 못 본 척, 업무에 열중했지만.

'흠…… 쟨 되네.'

입가에는 미소가 감돌고 있었다.

SSS급이라서 능력이 안 통하는 건 아닌가 보네.

'그럼 성지한은 다른 특별한 능력이 있는 건가? 그래
도…… 너도 곧 내 걸로 만들어 주겠어.'

비록 한 번 실패했지만.

주은지는 자신만만했다.

* * *

배런이 떠난 길드마스터실.

이하연은 문 쪽을 바라보며 말했다.

"배런 님이 오너님을 많이 의식하나 봐요."

"그런 거 같군요. 실력이나 키우고 그럴 것이지."

저번 생에서는 랭킹이 성지한보다 위에 있어서 그런지 안 그러던 배런이.

이번엔 눈에 보일 정도로 열등감을 분출하고 있었다.

"뭐 그래도…… 나름 세계 최고의 유망주였잖아요?"

"저놈에게 SSS급 기프트는 돼지 목에 진주 목걸이나 다름없습니다."

성지한이 배런의 능력을 신랄하게 비판하자.

이하연은 슬쩍 길드마스터실 문 너머를 다시 한번 확인해 보았다.

……갔지?

"나머지 플레이어들은 언제 온답니까?"

"내일이랑 모레면 다 도착할 것 같아요. 아, 그러고 보니. 선수 임대로 받은 육성비는 어디에 사용할까요?"

5명의 선수를 위탁받으면 총 육성비로 한 달에 2,500만 GP, 한화로 250억을 받게 된다.

'그 정도면 A급 성물을 사도 되겠군.'

신성력을 흡수해서 포스를 얻기 위해선, 외계의 성물 A등급을 수집해야 한다.

A등급의 성물 가격은 25억부터 시작했는데, 지금까지는 재정적인 여유가 없어서 구매하지 못했지만.

'이제는 충분히 사도 되겠어.'

이젠 돈이 되니 구매해서, 능력치를 조금이라도 더 흡수해야 했다.

"흠…… 제 지분에 따라 비율에 맞춰 200억을 전용하겠습니다. 괜찮겠습니까?"

"아니, 무슨 지분을 따지세요. 길드가 오너님 건데, 다 사용하셔도 돼요."

"그럴 순 없죠. 길드 운영비도 필요할 텐데."

"운영비…… 지금 뭐 드는 비용도 별로 없는걸요."

"아뇨. 길드 키워 보고 싶으시다면서요. 마음껏 써 보십시오."

어차피 이 돈은 이하연의 기프트가 다 벌어 온 거나 다름없으니까.

성지한은 20퍼센트는 이하연이 마음대로 쓰라고 떼어 주었다.

"아이, 정말…… 이렇게까지 하지 않으셔도 되는데……."

이하연은 그것도 모르고, 성지한을 감동에 젖은 눈으로 쳐다보았다.

50억이나 쓰라고 주다니.

너무 통이 크다!

"그건 그렇고. 돈이 생겼으니 이걸 좀 불려 보겠어요?"

"어…… 불린단 말씀은……."

"저번처럼 확실한 베팅거리가 있습니다."

200억을 죄다 A급 성물 사는 데 쓸 필요는 없지.

확실한 베팅거리가 있으니까.

"베팅…… 이요?!"

그 말에, 이하연의 눈이 번쩍 빛났다.

요즘 길드 업무에 정신이 없어서 도박사의 끓어오르는 욕망을 제대로 분출하지 못하고 있었지만.

성지한이 확실한 게 있다는 한마디에, 다시 손이 근질근질해진 것이다.

'아…… 도박. 안 하기로 했는데…… 그래도 이번 기회에 본전만 찾을까?'

도박 중독자들이 도박의 늪에서 벗어나지 못하는 가장 큰 이유.

'본전만 찾을까'를 생각한 이하연은, 이미 훌륭한 도박쟁이가 되어 있었다.

"네. 이번에는 괜히 머리 쓰지 말고 제 베팅만 그대로 따라 하세요. 아시겠죠?"

"다, 당연하죠! 전 이제 오너님만 믿고 갈 거예요!"

성지한의 지적에 이하연은 냉큼 고개를 끄덕였다.

괜히 자기 생각대로 꼬았다가, 돈 날린 것만 벌써 두 번.

이하연은 이번엔 성지한만 믿고 따르겠다고 굳게 다짐했다.

'흠, 자세가 됐네.'

이번에는 실수 하지 않겠지.

성지한은 본격적으로 말을 꺼냈다.

"12월까지가 동아시아리그 후반기 시즌인 거 알죠?"

"당연히 알죠."

"어디가 우승할 거 같아요?"

"어…… 역시 중국 아닐까요? 일본이 검왕의 가세로 강해지기는 했지만. 원래 1등의 저력이 있잖아요?"

"아뇨. 후반기 시즌의 일본은 전승으로 우승할 거예요."

"전승…… 으로요…….'"

성지한의 단언에, 이하연의 눈이 커졌다.

일본이 1등하는 거야, 이해할 수 있었다.

검왕의 힘은 그만큼 막강했으니까.

하지만 전승은 이야기가 다르다.

지금껏 동아시아리그에서 계속 1등을 달려오던 중국과 4번을 맞붙을 텐데.

일본이 그 경기를 모두 이긴다고?

'중국에 SSS급 기프트를 지닌 플레이어가 둘이나 되는데…….'

이하연은 도무지 이를 믿을 수 없었지만.

지금까지 그가 해 온 말은 틀린 적이 없었으니까.

이번만큼은 믿고 따르기로 했다.

"그리고."

"그리고요?"

"우리나라는, 전패입니다."

"전패…… 요?"

"그만큼 검왕 전력이 빠진 게 컸죠. 지금 우리나라가 누굴 이기겠습니까?"

검왕이 빠진 한국은 올해 후반기의 지역 리그 경기에서, 단 1승도 챙기지 못했다.

하지만 아무리 그래도…….

12월까지, 1승도 못 챙긴다고?

중국, 일본이야 워낙 강하니 그렇다 쳐도.

러시아 동부나 대만한테도 상대가 안 된단 말인가?

'러시아는 서부에 플레이어들 전력을 집중시키고 있어서, 동부 전력은 약할 텐데…….'

넓은 영토를 지니고 있어, 지역 리그 참가도 두 지역으로 나뉜 러시아.

하나 러시아의 영토 중, 시베리아가 있는 동부보다는 유럽 쪽에 있는 서부가 중요했기 때문일까.

러시아의 뛰어난 플레이어는 대부분 서부 지역에 배치되어 있었고, 동부의 플레이어는 수준이 좀 떨어지는 편이었다.

그래서 동아시아 리그에서 순위를 매길 때.

중국이 압도적인 1강이었고.

일본, 한국, 대만, 러시아는 다 고만고만하게 4중으로 다투고 있었다.

그런데 아무리 검왕이 빠졌다지만.

러시아나 대만을…… 단 한 번도 못 이긴다고?

"그건 좀…… 믿어지지가 않네요."

"뭐, 제가 국가대표가 된다면 모르겠지만. 후반기 시즌에는 레벨이 안 돼서 참여를 못하니까요. 한국은 전패할 겁니다."

성지한은 그렇게 확언했다.

"그러니까 일본 전승, 한국 전패에 돈을 거세요."

"그럼 매 경기…… 따로따로 걸란 말씀이시죠?"

"네. 나중 가면 일본의 승리와 한국의 패배는 당연한 일이 됩니다. 배당률이 높지는 않겠지만…… 그것도 복리로 쌓이면 커지니까요."

이하연은 고개를 끄덕였다.

경기 배당률이 1.2배만 되어도, 10번 다 맞추면 얻는 돈은 6배가 넘는다.

'이번엔 꼭. 오너님 말에 따라 베팅해야지!'

이번엔 제발, '생각'이란 걸 하지 말자.

맹목적으로 그냥 따르자!

이하연은 몇 번이고 그렇게 자신과의 약속을 했다.

* * *

[대기 길드, 세계 최초로 육성형 길드를 선보이다! 임 대료는 한 달에 무려 50억!?]

[SSS급 기프트 2명, SS급 기프트 3명이 합류한 대기 길드. 차세대를 대표할 플레이어가 모두 모여]

[임대료 50억 논란…… 전문가들, 이구동성으로 싼 액수라고 평가. "다음엔 더 높아질 것."]

대기 길드에 5명의 유망주가 모두 합류하자.

언론은 이를 대서특필했다.

출범한 지 한 달도 되지 않았는데, 더할 나위 없이 순항하고 있는 대기 길드.

물론 순항하는 건 길드만이 아니었다.

[성지한, 레벨 40까지 쾌속 질주! 역대급으로 빠른 레벨 업 페이스!!]

[한 달 만에 골드 승급전에 도달할 수 있을 것인가? 귀추가 주목돼]

[연속 1등 기록을 이어 나가는 성지한. 기록의 끝은 언제가 될 것인가?]

길드 오너인 성지한이야말로.

실버에 올라오고 나서, 브론즈 때와 변함없는 성적을……

아니, 오히려 더 미친 퍼포먼스를 보여 주며 리그를 아예 씹어 먹고 있었다.

-요즘은 진짜 성지한 보는 맛에 산다ㅜㅠㅜㅜ

-언제 다이아 찍냐…… 빨리 국가대표 좀 돼 주세요 ㅠㅠ

-지금 국대 7연패인가?

-ㅇㅇ일본은 7연승 ㅅㅂㅋㅋㅋㅋㅋ

-어우 국가 순위 대폭 하락하겠네; 이러다가 던전 생기는 거 아님?

-그전에 성지한이 국대 합류해 줄 거임 걱정ㄴㄴ

검왕이 떠나고, 동아시아 리그에서 계속 연패를 거듭하는 한국 대표팀.

암담한 소식만 들려오는 한국 배틀넷 업계에서, 성지한 관련 뉴스는 한 줄기 희망이나 다름없었다.

그러나 이렇게 사람들이 성지한에게 기대를 걸수록, 표정이 안 좋아지는 쪽도 있었으니.

[배틀넷 관리국장 김남태, 사직 의사를 밝혀.]

[청와대 청원 50만 돌파에 따른 사실상의 경질로 추측.]

"가관이구나."

대한일보 회장은 기사를 보고 표정을 일그러뜨렸다.

배틀넷 관리국장 김남태.

그는 순순히 물러날 사람이 아니었다.

관리국장 자리는 만들어진 지 얼마 되지 않았지만, 배틀넷과 관련된 이권이 상당히 걸려 있는 자리였기에 정치적 영향력이 강한 정치인만이 갈 수 있었다.

그런 자리에 들어서서 꿀 빨던 김남태를, 이렇게 단번에 자진 사퇴하게 만든 사람은.

'……대통령밖에 없지.'

현 시대, 배틀넷 플레이어가 중요한 건 알겠다.

근데 그래 봤자 고작 실버인 성지한 때문에, 대통령이 나서서 정치인을 경질해 버린다니…….

어처구니가 없는 상황이었지만, 이미 그게 일어난 걸 어쩌겠는가.

대한일보 회장은 수화기를 들었다.

"……내일 신문 1면에, 사과문을 올려라."

[사과문, 말씀이십니까?]

"그래. 뭘 또 물어? 성지한 관련 말이야."

[……네. 알겠습니다. 회장님.]

김남태가 경질된 이상, 여론의 포화는 이제 대한일보에 집중될 터.

사과문만은 올리고 싶지 않았지만, 이제는 어쩔 수가 없었다.

"대기 길드 측에 연락해서, 성지한을 광고 모델로 쓸 수 있냐고 물어보고. 예약이라도 어떻게 잡아라. 우리가 그와 적대적인 관계가 아니란 걸 세상에 알려야 하니까."

[알겠습니다…….]

팍!

대한일보 회장은 수화기를 거칠게 내려놓으며, 이를 갈았다.

대한일보 불매 운동을 일으킨 원인이나 다름없는 플레이어에게 사과문도 올리고, 제발 저희 신문사 광고 찍어 달라고 애걸복걸하는 꼴이 되었다.

이 무슨 치욕인지.

'이 자식들……! 사과도 제대로 못 해서 일을 이따위로 만들다니……!'

회장은 한참을 씩씩대며.

애초에 일을 이렇게 만든, 손주와 손녀를 가만두지 않겠다고 다짐했다.

* * *

9월의 중순.

그간 계속 1등을 달리며, 레벨 40에 올라선 성지한.

배틀넷 관리국장이 짤리고, 대한일보에서는 사과문을 올렸지만.

이미 그들에겐 관심이 사라진 성지한은 항상 그래 왔듯, 자신의 성장에만 집중하고 있었다.

그렇게 여느 때처럼 밤 12시가 지나자마자 게임에 접속했고.

[실버 리그 – 강남 에어리어에 오신 것을 환영합니다.]
[이번 미션은 디펜스입니다.]
[……]

'뭐지?'
그간 게임을 하면서, 한 번도 경험해 보지 않았던 '로딩'을 경험하게 되었다.
그리고 게임 입장 시 보이는 시스템 메시지는, 배틀 튜브 시청자들도 같이 볼 수 있어서.
시청자들 역시 난생처음 보는 현상에 신기해했다.

-??뭐임?? 이번엔 또 뭐임!?
-배틀넷도 렉이 걸리나요?
-디펜스면 10개의 탑일 텐데 왜 이따구임?
-매칭 상대가 없나?ㅋㅋㅋㅋㅋ

브론즈와 게임 맵을 공유하는 실버 리그.
실버가 브론즈랑 다른 점이라면, 인베이드의 추가로 협곡 맵이 새로 생겼다는 것뿐.
다른 게임의 맵 구성 자체는 브론즈와 똑같았다.

그런데.

[디펜스 게임, '하나의 다리'에 배정됩니다.]

오랜 로딩 끝에 떠오른 시스템 메시지에서는.
전혀 다른 맵을 배정해 주고 있었다.

-엥?
-하나의 다리?
-장판파 맵?
-이거 골드 리그 맵이잖아?

하나의 다리.
골드 리그에서 사용되는 맵으로, 게임의 양상이 삼국지
의 장판파 전투와 비슷하다고 해서 주로 장판파라고 불
렀다.
근데 이 맵에 어떻게, 실버인 성지한이 배정된 것인가?
그 이유를, 시스템이 설명해 주었다.

[더 이상 현 리그에서 수준에 맞는 상대를 찾을 수 없
습니다.]
[플레이어가 상위 리그의 상대와 매칭됩니다.]
[하위 리그 소속에서의 참가 보상으로, GP & 경험치

보상 50퍼센트를 추가로 획득합니다.]

　-미친ㅅㅂ 이런 게 있었어?
　-배틀넷 시청 경력만 10년 쨌데 처음임;
　-아하…… 40번 정도 1등 하면 상위 리그랑 게임하는
구나……ㅋㅋㅋㅋㅋㅋㅋㅋ
　-와, 실버가 골드랑 ㅋㅋㅋㅋ
　-지한 님 1등 기록 여기서 깨지나요? ㅠㅠ

　저번 생에서도 보지 못한 매칭.
　성지한은 처음 보는 현상에 눈을 크게 떴지만.
　'잘됐군.'
　내심 기뻐했다.
　안 그래도 이제 레벨 업이 빡빡해졌는데, 경험치 버프
를 저렇게 준다면 이쪽에서 환영이지.
　'또 여기서 1등하면…… 업적 포인트를 더 얻을 수도 있
겠군.'
　성지한은 기대에 찬 미소를 지은 채, 골드의 디펜스 게
임 맵.
　'하나의 다리'에 들어섰다.

                    ＊　＊　＊

디펜스 맵, '하나의 다리'.

골드부터 다이아리그의 게임에서 나오는 이 맵은 극악의 난이도로 유명했다.

특히 갓 골드가 된 플레이어 같은 경우는, 적을 막기보다는 그저 생존을 목표로 해야 했다.

다른 플레이어보다, 몇 분이라도 더 오래 살아서 50퍼센트 안에 들도록.

'이 맵은…… 오랜만이군.'

한편, 성지한은 감회가 새로웠다.

저번 생에서 플레이어로 활동하며 가장 많이 플레이했던 맵 중 하나가 바로 이 하나의 다리였기 때문이다.

그래서 이 게임의 공략법에 대해서는, 누구보다도 잘 알고 있었다.

'게임의 목표는 단순하다.'

다리에서, 적이 넘어오지 않게 지키는 것.

소환된 성지한은 주위를 바라보았다.

이 맵에 소환된 50인의 플레이어는 다리의 시작 지점에 옹기종기 모여 있었는데.

모두들 성지한을 보며 혼란에 빠져 있었다.

"……뭐야? 형이 왜 여기서 나와?"

"언제 성지한이 골드에 올랐지?"

"그런 소식 없는데?"

"버그 터졌나?"

실버가 골드 게임에 참가한 게 이번이 처음이었으니, 그들이 모르는 게 당연했다.

그러나 그들도 배틀튜브를 통해 시청자들과 소통하고 있었기에, 일이 어떻게 된 건지를 시청자들을 통해 금방 파악할 수 있었다.

"어…… 매칭 상대가 없어서 상위 리그랑 매칭된 거라는데요?"

"와. 말도 안 돼! 우리 길드 파티원들은 죄다 레벨 60대인데…… 그럼 배틀넷에서 성지한 님을 그 정도로 평가하는 거네요?"

"나 참. 그래도 골드와 실버는 격이 다른데……."

몇몇 골드 플레이어들은 마음에 들지 않은 듯, 표정을 찌푸렸다.

골드와 실버.

단계는 한 단계 차이일 뿐이지만, 그 차이로 인해 프로 플레이어냐, 아니냐가 결정되었다.

'아무리 성지한이 강하다지만 어떻게 실버가 골드 게임에 참가하냐고…….'

'발목이나 잡지 않았으면 좋겠는데.'

성지한의 팬이 워낙 많아, 배틀튜브로 생중계되는 지금은 대놓고 말은 하지 못했지만.

적잖은 플레이어들은 불편한 심기를 품고 있었다.

"그럼 성지한 님은 어디에 배정되는 거죠?"

"랜덤이긴 하지만 아무래도 실버니까 후방에 있지 않겠어요?"

"아니죠. 그럼 불공평하잖아요. 똑같은 골드로 간주돼서 공정하게 배치되지 않을까요?"

플레이어들이 성지한이 어디에 배정되는지에 대해 자기들끼리 갑론을박을 펼치고 있을 때.

"시끄럽다!!!!"

부우우웅-!

거대한 다리가 진동하며, 다리 너머에서 거대한 고함소리가 들려왔다.

천지를 뒤흔드는 듯한 포효에, 플레이어들이 귀를 부여잡고 표정을 찌푸렸다.

"아, 아직 시작도 안 했구만. 좀 떠들 수도 있지."

"성깔 하곤 진짜."

쿵. 쿵!

거대한 절벽 사이를 잇는, 커다란 구름다리의 중간.

그곳에서, 한 사람이 이쪽으로 걸어왔다.

아니, 그는 사람이라기보다는 거인이라고 칭하는 게 맞았다.

사람 여럿이 모인다 해도, 그의 크기에는 미치지 못했으니까.

피가 잔뜩 묻은 갑옷을 입은 채 다가오는 거인은 흉흉한 기세를 내뿜고 있었다.

"수문장이 혼자 앞에서 싸우는 동안, 병사란 것들이 뒤에서 잡담이나 떨다니!"

제국 수문장, 거인 비장.

그는 순식간에 플레이어들에게 다가와, 얼굴을 스윽 내밀었다.

4미터에 달하는 몸 크기에 걸맞게, 얼굴도 큰 비장은.

-히이이익!
-언제 봐도 ㄹㅇ못생겼다.
-꿈에서라도 나올 거 같누 ㅋㅋㅋㅋ
-아니 상판대기 좀 들이대지 마요;;;

인간형 NPC 중에서는, 최악의 비주얼을 지니고 있었다.

주름으로 잔뜩 일그러진 피부.

무분별하게 삐죽삐죽 튀어나온 수염에, 얼굴 곳곳에는 검버섯이 피어 있고.

코와 입, 턱은 이상하게 휘어져 있었다.

머리는 머리카락 몇 가닥만 미역처럼 민머리에 붙어 있어서, 아예 싹 밀어 버리지 왜 저걸 남겨 두고 있는지 모를 정도였다.

"허약한 놈들이군! 너희들은 나와 같이 싸울 자격이 없다!"

플레이어들을 스윽 둘러본 수문장은, 구름다리를 발로 쿵 찍어 눌렀다.

그러자 모든 플레이어들의 몸이 일제히 붕 떠오르며 근처 절벽가 쪽으로 날아갔다.

-역시 쫓아내네.

-KIA~~ㅇㅇ우리 수문장 형님은 골드 리거 따윈 사람 취급도 안 하지~~

-다이아 리거부터 다리에서 같이 싸울 수 있었나?

-플레도 150레벨이면 가능할걸?

디펜스 맵, '하나의 다리'.

이 게임은 맵 이름과는 달리, 다리 위에 올라설 수 있는 자는 어느 정도 수준이 되는 플레이어만 가능했다.

'어느 정도 수준'이라 함은, 거인 비장의 시험을 통과하는 레벨대에 도달한 플레이어를 말하는데, 골드 수준에서는 어림도 없었다.

때문에, 골드 플레이어들은 절벽가에서 방어 태세를 갖춘 병사들과 함께 날아오는 비행 몬스터들을 격추해야 했다.

'제발 꿀자리! 제발 꿀자리······!'

'아······ 성지한 들어와서 나쁜 데 배정되는 거 아냐?'

'50퍼센트 안에만 들자!'

가장 좋은 자리에 배정받기를 기도하며 날아가는 플레이어들.

이들 중 수문장의 발 구르기에 저항하고 버티려 하는 이는 아무도 없었다.

골드인 이상, 이건 당연한 수순이었으니까.

그런데.

"……네놈. 뭐 하나?"

단 한 명.

성지한만큼은, 날아가지 않은 채.

여유로운 미소를 지으며 자리를 지키고 있었다.

* * *

-?? 뭐 함?
-아 지한 님ㅠㅠㅠ 거기서 버티시면 안 되는데;;
-다리에 있으면 꼴등 확정이에요 ㅠㅠㅠㅠ

수문장의 발구르기에 몸을 맡기지 않고 다리에서 버틴 성지한을 향해, 시청자들의 채팅이 쏟아졌다.

대부분 왜 그런 선택을 했는지, 의아해하는 반응이었다.

-ㅋㅋㅋ이번엔 진짜로 끝났다.

-드디어 상태창 보는 각인가?

-구독자 100만이 먼저일 줄 알았는데ㅋㅋㅋㅋㅋ 드디어 1등 놓치누!!!!!

-아무리 성지한이라도 이건 예습 못하짘ㅋㅋㅋ

-하긴 실버가 골드 맵에서 게임할 거라 상상했겠음?

시청자들은 성지한이 이 맵의 특성을 잘 몰랐기에, 발 구르기에 저항했다고 생각했다.

하지만.

누구보다도 이 맵에 대해 잘 아는 성지한이 다리에 남은 데에는 이유가 있었다.

[에픽 퀘스트]

-제국 수문장, 거인 비장의 인정을 받고 그의 죽음을 막아라.

-보상 : 업적 포인트 50,000 / 구름창 운뢰雲雷

어마어마한 보상이 걸린 에픽 퀘스트가 떴기 때문이었다.

'업적 포인트도 포인트지만, 구름창 운뢰가 보상이라 니.'

구름창 운뢰.

이건 제국 수문장 비장의 전용 무기로, 홀로 몰려오는

적의 대군을 추풍낙엽처럼 쓸어버리는 데 쓰이는 거창이었다.

최소 SS등급은 될 것 같은 무기.

근데 이걸 준다고?

'이클립스도 좋은 무기지만 천뢰신결과는 상성이 맞지 않지. 운뢰는 천뢰신결과 딱 맞을 테니, 무슨 수를 써서라도 얻어야 해.'

그러려면 일단, 이 다리에 자신도 있어야 한다.

성지한은 자신을 노려보는 비장을 향해 여유로운 얼굴로 말했다.

"수문장. 보조할 사람은 필요하지 않겠습니까?"

"하! 네놈 따위가?"

수문장 비장은 어처구니가 없다는 듯 눈썹을 꿈틀거렸지만.

곧, 입가에 비릿한 미소를 지었다.

"그럼 어디 이거나 들어 보거라!"

휙!

순간 비장의 등 뒤에 매여 있던 거창이 날아오르더니, 성지한 쪽으로 떨어진다.

거인이 쓰던 창답게 어마어마한 크기를 자랑하는 거창은 흡사 웬만한 전봇대와 같았다.

이대로라면 창에 깔려 죽을 판이었다.

−벌써 죽나!!!!

−안 돼 지한니뮤ㅠㅠ

−비장의 시험 레벨 150은 되야 통과하던데ㅋㅋㅋㅋ 개
망ㅋㅋㅋ

−상태창 보러 가즈아아아~~~

아무리 엄청난 위용을 보여 왔던 성지한이라도, 저 무
식한 시험은 통과 못한다는 게 시청자들의 중론이었다.

하지만.

"이 정도면 될까요?"

툭.

성지한은 거창을 가볍게 받아 냈다.

"……?"

비스듬히 받아 낸 것도 아니었다.

마치 물건을 주고받듯, 아예 한 손으로 들어 버린 것이다.

−얘 뭐냐?

−저 창, 힘 100은 되야 겨우 들 수 있는 거 아녔어?

−아니 대체 기프트가 뭐냐고!!!! 진짜 상태창 좀 보
자ㅜㅜ

성지한이 가볍게 펼쳐 낸 차력쇼에, 일반 시청자보다
배틀넷에 정통한 매니아들이 더 흥분했다.

비장의 창 운뢰 무게가 워낙 무거워서, 저 시험을 통과하는 건 워리어 중에서도 힘 수치에 몰빵한 이들밖에 없었기 때문이다.

—구독 안 하고 보는 사람 있으면 구독 좀 해라!!!
—이젠 100만뿐이야……

"호오."
비장 역시 생각 외로 강한 성지한의 힘에 놀랐는지, 눈을 크게 떴지만.
"큭……! 힘은 있구나. 하나 운뢰가 그리 쉽게 널 인정할 것 같으냐?"
여전히 불퉁스러운 표정을 감추지 못했다.

[비장이 플레이어를 마음에 들어 하지 않습니다.]
[구름창 운뢰가 주인의 뜻에 따라, 플레이어를 추가로 시험합니다.]

지지지직……!
거대한 창에서 엄청난 전류가 피어올랐다.
구름창 운뢰에 내포된 강렬한 뇌기雷氣가 성지한을 집어삼키려 한 것이었다.

-엥? 왜 또 시험함?

-그러게?? 너무 쉽게 통과해서 그런가?

-쉽게 통과했으면 얼른 데려가야지, 왜 또 괴롭히냐;

비장의 변덕스러운 추가 시험이 치뤄졌지만.

'또 이러네.'

저번 생에서도 그의 변덕을 숱하게 겪었던 성지한은, 천뢰신결을 운용하며 뇌기를 가볍게 흡수해 버렸다.

성지한을 태워 버리려 했던 뇌기가 완전히 무력화되자, 이내 운뢰에서 피어오르던 전류가 잦아들었다.

[플레이어 성지한이 시험에 통과했습니다.]

시험에 통과했다는 메시지에도, 비장은 불만스러운 얼굴을 감추지 않았다.

"큭······! 한가락 재주는 있는 모양이구나. 계집애를 닮아, 유약하게 생긴 것이!"

-계집애?

-성지한이??

-잘생기긴 했지만 미소년 스타일은 아닌데······.

-ㅇㅇ 선 굵은 호남형이지 유약한 건 좀······ ㅋㅋㅋㅋ

-비장 잘생긴 플레이어한텐 맨날 저렇게 시비 털더

라ㅋㅋㅋㅋㅋ

ㅡ아, 한마디로 열폭하는 거네?

ㅡㅋㅋㅋㅋㅋㅋㅋㅋ

제국 수문장 비장.

배틀넷에 나오는 인간형 NPC중에서, 외모로만 따지면 워스트 5위 안에 들 정도로 못생긴 그는.

잘생긴 플레이어만 나오면, 괜히 시비를 걸곤 했다.

'그래서 나중엔 비장의 별명이 미남 판독기라고 불렸지.'

튜토리얼 기간에는 비장의 이러한 특성이 널리 알려지지 않았지만.

세월이 꽤 흐른 뒤에는 거꾸로 비장에게 시비를 당하지 않는 플레이어들이 통한의 눈물을 흘렸더랬다.

"쿵! 네놈! 창 들고 따라와라!"

바닥에 침을 퉤 뱉고는, 등을 돌려 걸어가는 비장.

성지한은 불만스러운 기색을 가득 보이는 그를 보며, 미간을 찌푸렸다.

'저번 생에서야 비장이 날 싫어해도 상관없었는데……이번엔 그의 인정을 받아야 하니 문제가 되는군.'

예전에야 비장이 저렇게 시비를 걸면 기분이 나쁘기보다는, 오히려 어깨가 으쓱해지곤 했지만.

이번엔 사정이 달랐다.

에픽 퀘스트를 깨기 위해선 그의 인정을 받아야 했으니까.

'일단은…… 게임을 진행해 볼까.'

성지한은 어느 새 자신의 손에 쏙 맞게 작아져 있는 구름창 운뢰를 챙기곤 비장의 뒤를 따랐다.

3장

3장

구름다리의 중간 위치.

수십 명이 나란히 서서 걸어도 될 정도로 폭이 넓은 다
리의 중간 너머에는, 이리저리 짓이겨진 수많은 괴물들
의 시체가 가득했다.

그 수는 어림잡아도 천이 넘을 정도.

이는 비장이 혼자서 만들어 낸 결과였다.

-크으…… 비장이 세긴 세.

-외모를 포기하고 힘을 얻었누ㅋㅋ

-힘이라도 얻은 게 어디임? 외모만 포기한 사람 천진
대ㅋㅋㅋ

-갑자기 뼈 때리네; 왜 시비임?

-님한테 한 말은 아닌데…… 찔리셨으면 ㅈㅅ.. ㅎㅎ;
ㅋㅋ!

　시청자들에게 강함을 공인받은 비장은 여전히 성지한
만 보면 표정을 찌푸리고 있었다.
　비장은 마뜩잖다는 듯 손가락을 까닥거렸다.
　"어이! 기생오라비! 창 던져라!"
　……이 세계에도 기생이란 게 있나?
　성지한은 신경을 긁어 대는 발언에도 어깨만 으쓱인 채
비장에게 운뢰를 던져 줬다.
　스으으으-!
　창을 던지려 할 때, 운뢰가 제 크기로 돌아오는 탓에
무게감이 상당하기는 했지만.
　이미 상당한 무력을 갖추고 있는 성지한에게는 그다지
제약이 되진 않았다.
　"쿵!"
　거인 비장은 크기에 맞게 커진 운뢰를 받고, 순식간
의 진지한 표정이 된 채 창을 구름다리 위에 꽂았다.
　"운뢰칠식雲雷七式, 천망뇌진天網雷陣."
　쿠르르르-!
　먹먹하던 하늘에서, 별안간 번개가 구름창을 향해 내려
쳤다.
　그러자 다리 위에 꽂힌 운뢰가 창으로서의 형태를 잃고

거대한 전기 덩어리로 뒤바뀌더니, 구름다리 안으로 흡수되었다.

그러는 동안, 비장은 픽 비웃음과 함께 성지한에게 경고를 날렸다.

"알아서 살아남아라."

지지지직……!

이내, 거대한 구름다리의 중간 부분에서부터 전류가 휘감기며, 다리 전역이 시퍼렇게 빛나는 전기로 번뜩였다.

번쩍- 번쩍-!

그와 함께 비장의 사방에서 터져 나오는 빛무리들.

어느새 다리에는 곧 일곱 개의 뇌창이 만들어져 있었다.

일 대 다의 전투에 있어서, 비장이 내놓을 수 있는 가장 뛰어난 무공.

일정 영역을 뇌기로 지배하는 천망뇌진의 효과였다.

한편 성지한은 심드렁한 표정으로 비장의 무력 시위를 감상하고 있었다.

'힘 조절을 못하네.'

아니, 안 하는 건가?

천망뇌진의 뇌기는, 성지한이 서 있는 쪽으로도 급격하게 뻗어 왔다.

아군임에도 불구하고 봐주지 않겠다는 듯 시퍼렇게 피어오르는 푸른 전기.

성지한이 틈만 보이면…… 아니, 틈을 보이지 않아도 바로 잡아먹을 기세였다.

'……어째 예전보다 더 날 싫어하는 거 같다?'

원래대로라면 플레이어가 있는 곳까지 천망뇌진을 펼치진 않았을 텐데.

이번엔 좀 심했다.

아무리 자신을 마음에 안 들어 한다고 해도, 이건 도를 넘어선 적대 행위였다.

그리 생각하면서도, 성지한은 지금 상황에 딱 적절한 무공을 펼쳤다.

무명신공無名神功
천뢰신결天雷神訣
뇌신雷身

지지지직-!

성지한의 온몸에서 스파크가 피어오르기 시작했다.

뇌기와 자신을 동화하는 뇌신雷身.

천뢰신결의 극한에 다다르기 위해 필수적으로 익혀야 할 무공이었다.

이내 천망뇌진의 전류가 성지한의 몸을 덮쳤다.

[천망뇌진을 받아들입니다.]

[뇌기가 강화됩니다.]

비장의 악의 섞인 천망뇌진의 전류는, 오히려 성지한의
힘을 더 강화시켜 주는 결과로 돌아왔다.

그때, 아리엘의 목소리가 들려왔다.

[주인…… 이 뇌기는 나와 상극이다. 이 상태에서는 이
클립스를 소환하는 건 무리다.]

"다음엔 입구에서 널 소환해 둬야겠군. 알겠다."

비록 뇌기와 대립하는 그림자의 힘을 다룰 수 없다는
단점이 있었지만, 그걸 감안해도 천망뇌진에서 들어오는
뇌기는 막대했다.

평소보다 최소 두 배는 강해진 셈.

천뢰신결을 사용하기에 최적화된 환경이었다.

-성지한 갑자기 왜 피x츄됐냐? 백만볼트 시전하누.

-하도 번쩍거리니 눈 아프네ㅋㅋ

-님들아, 이 사람 기프트가 뭐예여?

-궁금하면 좋댓구알 좀 하시라고요 제발 ㅠㅠ

-제발 한국인이면 일가친척 다 동원해서 구독 누르십
쇼!!

전기 인간이 된 성지한을 보고, 시청자들이 기프트를
궁금해하고 있을 때.

비장은 한층 누그러진 얼굴로 성지한을 바라보았다.

"흐음…… 뇌기를 그 정도로 다루는 걸 보니, 풍제국의 첩자는 아니로구나."

[비장이 플레이어를 조금 신뢰합니다.]

왜/이렇게 싫어하나 했더니, 생긴 것 때문만이 아니라 첩자라고 생각한 거였나?

'저번 생에서는 단 한 번도 첩자라고 의심받진 않았는데…….'

성지한으로선 뭣 때문에 저런 의심을 품은 건지 의아할 수밖에 없었지만.

[1차 침공이 시작됩니다.]

사아아아…….

다리 너머가 순식간에 어둠으로 뒤덮이자, 의문은 일단 접어 뒀다.

일단은 당면한 적부터 막아야 했다.

'마침 이 성물도 거의 다 써 버렸군.'

스탯을 올리기 위해 구매한 A급 외계의 성물.

성물은 예전에 C급 참마도에서 신성력을 흡수했을 때에 비해 높은 등급의 물건이었지만, 능력의 흡수 효율은 그때보다 나빠졌다.

성지한이 지닌 스탯이 그만큼 높아졌기 때문이었다.

[외계의 신앙에 대한 이해도가 깊어집니다.]
[외계의 성물에 담긴 힘을 모두 흡수합니다.]
[신성력이 소폭 오릅니다.]
[아이템 등급이 F로 변경됩니다.]

A급 성물은 결국 신성력을 1만 올려 준 채, F급으로 등급이 하락했다.

A급 성물의 가격은 평균 25억선.

신성력 3을 올려야 포스가 1이 오르는 걸 생각하면, 능력치 업을 위해선 최소 75억을 사용해야 했다.

75억.

일반인의 시각에서 본다면 감히 엄두도 내지 못할 만큼 어마어마한 금액이었지만.

'너무 싸잖아.'

성지한 입장에서는 말도 안 될 정도로 싼 거래였다.

버는 족족 다 성물 사는 데 투자하고 싶을 정도로!

'하지만 저번처럼 신성력을 일정 수치 흡수하고 나면 높은 등급의 성물을 사라고 할 테니……'

이런 꿀을 배틀넷 시스템이 계속 빨게 놔두지는 않을 터.

저번처럼 제한이 또 나오겠지.

그래서 성지한은 성물을 구매할 때 3개씩을 챙겼다.

이번에 구매한 세 개의 성물 중, 2개는 하루 종일 끌어안고 있는 것만으로 '이해'가 가능했기에 신성력을 흡수할 수 있었지만.

나머지 한 개는 그런 방법으로는 흡수가 되지 않았다.

"인벤토리."

성지한이 다시금 A급 외계의 성물을 꺼냈다.

[외계의 성물 - 신조神鳥의 발가락뼈 (A급)]
-신조를 신으로 모시는 행성에서는, 신조의 뼛조각을 귀한 성물로 취급합니다.
-발가락뼈는 이 중 가치가 가장 낮습니다.

아이템 설명은 단순하기 그지없는 뼛조각이었지만.

성지한의 손에 들린 건 거의 웬만한 성인의 몸만 한 크기의 푸른 뼈였다.

발가락의 크기가 이 정도일 테니, 신조의 본체는 얼마나 클지 짐작도 가지 않았다.

'이 뼈를 어떻게 써먹어야 하나…….'

성지한은 일단 이걸 무기로 쓰기로 마음먹었다.

발가락뼈는 꽤나 커다랬지만, 형태가 길쭉해 봉처럼 쓸수는 있을 것 같았다.

'한두 번 시도해 보다가 안 되면 다른 걸 사야겠어.'

한편.

"그건 무슨 장난감 같은…… 음?"

비장은 성지한이 쥐고 있는 푸른 뼈를 보곤 눈썹을 꿈틀거렸다.

그는 뭔가를 말하려고 하는 듯했으나.

"뭐, 상관없겠지."

그럴 필요까지는 없다는 듯 팔짱을 꼈다.

한편, 구름다리의 전방에선 검은 갑주를 입은 부대가 오와 열을 맞추며 전진해 오고 있었다.

쿵- 쿵-

한 발자국을 걸을 때마다 땅이 울려 왔다.

한 치의 오차도 찾아볼 수 없는 정예군이었다.

그리고 투구 속으로 보여지는 그들의 얼굴은, 피륙 없이 뼈만 남은 두개골만이 남아 있었다.

하나의 다리, 1차 웨이브의 몬스터인 데스 나이트 부대였다.

꺄아아악-!

그와 함께.

다리 옆쪽의 절벽가에서는 반투명한 회색빛 유령이 날아오고 있었다.

1차 침공 부대, 언데드 군단.

다리 쪽은 데스 나이트가 쳐들어오고.

다리 옆에 공중의 적을 요격하기 위한 기지에는, 유령 부대가 절벽을 날아 침공한다.

"내 뒤를 보조해라. 병사."

비장은 다리 옆을 날아가는 유령들을 힐끗 바라보더니, 데스 나이트 부대를 향해 몸을 날리려 했다.

하지만.

"기다리십시오."

성지한이 앞으로 나서서, 비장을 멈춰 세웠다.

* * *

"네놈, 뭐 하는 짓이지?"

"수문장께서는 공중의 적을 요격해 주십시오. 전방은 제가 책임지겠습니다."

"이 자식이…… 미쳤느냐?"

성지한의 말에 비장의 얼굴이 시뻘게졌다.

[비장이 플레이어를 경계합니다.]

기껏 시험을 여러 번 통과해서 벌어 둔 점수를, 단번에 까먹은 셈.

하지만 성지한에게는 이래야 할 이유가 있었다.

'골드 수준에서는 1차 웨이브도 못 이겨 낸다.'

전력 자체는 데스 나이트 부대가 유령 부대보다 강력했지만.

절벽가를 지키는 병사의 수준이 워낙 낮아, 이들은 유령 부대의 침투를 막지 못했다.

이를 방어하기 위해서는 플레이어들의 힘이 필수적이었지만, 골드급의 플레이어들은 일반병과 수준이 엇비슷했기에 별 도움이 되지 못했다.

'절벽이 뚫리면 비장이 다리를 부수고 자폭하게 된다.'

1차 웨이브도 못 막고 끝나 버려서야, 어떻게 에픽 퀘스트를 깨겠는가.

차라리 비장이 공중의 적을 요격하는 사이, 지상의 적은 자신이 막는 게 효율적이었다.

다만 문제는 저 전방의 데스 나이트 부대를 성지한이 혼자서 막을 수 있냐는 것.

'그거야 쉽지.'

성지한은 자신이 있었다.

"당장 비키지 못하겠느냐! 병사 주제에 데스 나이트를 어찌 막겠다고!"

비장이 고함을 내지르자.

성지한은 대꾸하는 대신, 행동으로 답했다.

무명신공無名神功

천뢰신결天雷神訣

벽력섬뢰霹靂閃雷

　푸른 봉, 신수의 발가락뼈에 천뢰의 권능이 깃들었다.
　흐읍–
　숨을 들이킨 성지한이 하늘을 향해 푸른 봉을 쏘아 보
냈다.
　꽈르르릉–!
　푸른 봉에 담긴 벽력섬뢰의 기운이, 천망뇌진 덕에 강
력해진 뇌기와 합쳐지고.
　이내 거대한 벼락이 되어 데스 나이트 부대의 정중앙에
떨어져 내렸다.
　꽈콰콰콰쾅!
　데스 나이트 부대의 중심부가 벽력섬뢰의 파괴적인 힘
에 그대로 갈려 나가기 시작했다.
　파마破魔에 있어서는 으뜸인 천뢰의 힘이 제대로 발휘
된 것이었다.
　벽력섬뢰는 데스 나이트 군단의 절반을 뼛가루조차 남
기지 않고 완전히 소멸시켰다.
　피시이이이이–
　데스 나이트 부대의 중심에 꽂힌, 푸른 봉에서 연기가
피어오른다.
　뇌신화한 성지한은 푸른 봉을 향해 발걸음을 떼었다.
　'천뢰신보.'

번쩍!

순간이동을 한 듯, 어느새 성지한의 신형은 푸른 봉이 있던 데스 나이트 부대의 정중앙에 위치해 있었다.

데스 나이트 부대의 절반이 남아 있음에도 불구하고.

성지한은 전혀 긴장하지 않은 얼굴로, 푸른 봉을 뽑아 들었다.

"수문장. 이 정도면 증명이 되었습니까?"

"으, 으음! 네놈은 대체……!"

"공중전은 제가 잘 못해서. 그러니……."

스르르륵—

성지한의 말이 끝나기도 전에, 검을 빼 들고 사방에서 돌진해 오는 데스 나이트.

강력한 언데드 몬스터임을 증명하듯 내리쳐 오는 검격은 한 치의 빈틈도 보이지 않을 만큼 위협적이었다.

하지만.

성지한의 포스는 근접전에서 최고의 효율을 발휘했다.

절대영역에 닿지도 않았음에도, 한없이 느릿해지는 데스 나이트의 검격은 별 위협이 되지 못했다.

그런 데스 나이트들의 머리를 향해, 뇌전을 휘감은 푸른 봉이 자비 없이 휘둘러졌다.

빠아악!

단 한 방.

데스 나이트의 전신이 강력한 파마의 기운을 이기지 못

하고 한 줌의 뼛가루로 분해되었고.

철그렁-!

주인을 잃은 갑옷은 힘을 잃고 바닥에 나동그라졌다.

하나 두려움을 모르는 데스 나이트들은 동료의 유해를 거침없이 짓밟으며 끝도 없이 돌진해 왔다.

멀리서 보면 성지한의 모습을 찾기 어려울 정도로, 그의 주변엔 데스 나이트들밖에 없었지만.

지지지직-!

한차례 뇌전이 휘몰아치자, 포위는 무색해졌다.

천뢰의 힘은 언데드와 완전한 상극이었으니.

뼛가루가 사막의 모래처럼 휘날리고, 흑색 갑주는 수북히 쌓여 갔다.

"제가 지상을 맡죠. 어떻습니까?"

갑주를 밟고 올라선 성지한이 그리 묻자.

비장은 큰 눈을 껌뻑이더니, 표정을 일그러뜨렸다.

조금 전까지만 해도 성지한에게 지었던 표정이라곤, 못마땅한 얼굴이 전부였지만.

지금의 그는, 입꼬리를 한껏 끌어 올리고 있었다.

"쿵! 조금은 쓸 만하구나!"

스윽!

비장이 손을 하늘로 뻗자, 수십 가닥의 벼락이 거침없이 내려쳤다.

그리고 벼락이 내리친 곳은 절벽을 건너는 유령 부대

쪽이었다.

끼에에에엑!!!

순식간에, 유령 군단이 반절 넘게 사라진다.

제국 수문장에 걸맞은 권능을 보인 비장은.

"킁."

코웃음을 친 채, 다시 팔짱을 끼었다.

그의 시선은, 다시 성지한에게 향해 있었다.

"좋다. 어디, 그럼 네 맘대로 놀아 보아라."

[비장이 플레이어를 조금 더 신뢰합니다.]

* * *

−저거 데스 나이트 아니고 그냥 스켈레톤이지?

−ㅇㅇ데스 나이트일 리가 없지ㅋㅋㅋㅋ 워리어 기준
레벨 80은 되어야 겨우 맞다이가 가능한 몹인데…… ㅅ
ㅂ스켈레톤은 개뿔 성지한 미쳤누!!!!

성지한이 강하다는 건 그의 채널을 시청하는 시청자라
면 어김없이 알고 있는 사실이다.

첫 스트리밍을 시작할 때부터, 지금까지 보여 줬던 퍼
포먼스들은 늘 기존의 상식을 비웃기라도 하는 듯한 모
습을 보여 줬으니까.

하나 시청자들이 계속해서 놀라워해하는 이유가 있다면, 그 '상식을 비웃는 퍼포먼스'의 규모부터가 예측 불가였다는 것이다.

마치, 지금처럼.

디펜스 게임, '하나의 다리'는 골드부터 다이아까지 사용되는 맵이었는데.

여기서 실버리거인 성지한이 참전하게 된 것도 모자라, 다른 플레이어들을 한참 따돌릴 정도로 대활약하고 있는 저 모습.

특히 수많은 데스 나이트 군단을 상대로 홀로 맞서서 무쌍을 찍고 있는 저 모습이.

지금 성지한이 보여 주는 퍼포먼스는, 플래티넘리거도 하기 힘든 대활약이었다.

이에 TOP 100 승급전 경기 이후 생겨난 성지한의 팬덤이 설레발을 치기 시작했다.

-지한니뮤ㅠㅠ그냥 지금 국가대표로 뽑으면 안 되나요?

-맞아요. 현 국대보다 훨씬 잘할 거 같은데?

-실버를? 리그 꼴찌할 일 있음?

-네~ 이미 꼴찌인데요~ㅋㅋ쿠ㅠㅠ

-와;; 검왕가가 가니까 더한 팬덤이 나타났네;; 제발 주제를 알아라;;

아직 국가대표까지는 너무 나갔는지, 팬덤의 발언은 소수 의견으로 시청자들에게 두드려 맞고는 있었지만.

이와는 별개로, 성지한이 보여 주는 무력은 '독보적'이라는 것엔 이견이 없었다.

그렇게 시청자들이 왈가왈부하는 사이.

데스 나이트 군단을 전멸시킨 성지한은 다음 웨이브를 기다리고 있었다.

다그닥- 다그닥-

이번에는 해골마를 탄, 데스 나이트 기병대가 성지한에게 일제히 돌진해 왔다.

앞선 데스 나이트들과는 달리, 가슴에는 검은 새가 새겨진 백색 갑주를 입고 있는 죽음의 기사들이 거대한 창을 들고 일제 돌격을 시작했다.

수백 기의 기병대가 펼쳐 내는 랜스 차징.

-랜스 차징!!! 피해욧!!! 구석으로!!!!!
-돔황챠아아!!!!!ㅜㅜㅜㅜ

그 어마어마한 위용에, 시청자들은 이번에야말로 위험한 게 아닐까 생각했지만.

지지지직-!

성지한은 오히려 푸른 봉에 뇌전이 휘감은 채, 기병대를 향해 뛰어들었다.

'이번 기회에, 포스를 극한으로 단련한다.'

그러자, 약속이라도 한 듯 사방에서 날카로운 창끝이 성지한을 향해 들이닥쳤다.

일정한 간격으로 동시에 짓쳐 들어오는 창격은 마치 뚜껑 없는 아이언 메이든을 연상케 했다.

완벽한 포위망. 옴짝달싹할 수도 없는 위기.

하나 성지한은 오히려 이 상황을 반겼다.

'포스의 힘으로 틈을 만든다.'

어떤 공격은 적이 의도한 것보다 빨리.

어떤 공격은 적이 의도한 것보다 느리게.

슈슉- 슉!

일제히 찔러 오던 공격에, 시간차가 생기고.

창끝이 서로 엉키며, 빈틈이 없던 간격에 공간이 생겨났다.

'이렇게 하면 되는군.'

성지한은 엉켜 있는 창끝을 계단처럼 가볍게 밟아 나가며, 적과의 공간을 좁혔다.

그렇게 거리가 좁혀져 창을 쓸 수가 없어지자, 데스 나이트들이 검을 꺼내려 했으나.

성지한의 푸른 봉이 더 빨랐다.

펑!

한 데스 나이트의 머리가 날아가는 것을 시작으로.

성지한은 신출귀몰하게 기병대 사이를 헤집고 다녔다.

데스 나이트들이 어떻게든 저항해 보려고 했지만, 모두가 허사.

데스 나이트들의 악재는 이뿐만이 아니었다.

[성물 '신조의 발가락뼈'가 타락한 신조神鳥의 종을 감지합니다.]

[본래 용도에 맞게, 뼈가 불타오릅니다.]

어느 순간부터 성지한이 들고 있는 푸른 봉에서 새하얀 불꽃이 일더니, 데스 나이트를 너무나도 손쉽게 불살라 버리기 시작한 것이다.

'저 흑조 문양 갑옷…… 연관이 있었나.'

이러면 연습이 되질 않는데.

성지한은 갑자기 급발진하는 발가락뼈를 보며 잠깐 불만을 품었지만.

[외계의 신앙에 대해 완전히 이해합니다.]

[신성력이 1 오릅니다. 포스에 통합됩니다.]

['외계의 성물 – 신조의 발가락뼈'의 등급이 B급으로 하락합니다.]

['외계의 성물 – 신조의 발가락뼈'가 지닌 소명을 다합니다.]

[신성력이 3 오릅니다. 포스에 통합됩니다.]

['외계의 성물 – 신조의 발가락뼈'의 등급이 E급으로 하락합니다.]

[성물이 신조의 힘을 이겨 내지 못하고 소멸합니다.]

"신성력…… 4?"

다른 A급 성물은 한 개당 겨우 1씩 올려 줬는데.

확실한 쓰임새를 알게 돼서 그런지, 발가락뼈는 신성력을 4나 올려 주곤 소임을 다했다.

이렇게 되니, 당연히 올리고자 했던 포스 스탯도 올랐고.

[포스가 2 오릅니다.]

[무력과 능력치가 공유 상태입니다. 무력이 2 오릅니다.]

포스와 삼단전으로 연계된 무력까지 같이 상승했다.

'아, 연습 따윈 필요 없지.'

조금 전 품었던 불만은 온데간데없었다.

성지한은 애틋한 눈으로 가루가 되어 사라지는 발가락뼈를 바라보았다.

'잘 가라…… 고마운 발가락뼈…….'

[이제부터는 SS등급 이상의 성물에서만 신성력을 흡수할 수 있습니다.]

계속 꿀을 빨지 못하게 제약을 가하는 시스템이 초를 치기는 했지만, 성지한은 일단 지금을 즐기기로 마음먹었다.

"인벤토리."

사라져 버린 발가락뼈를 대신해 봉황시를 꺼낸 성지한은 적을 다시 제압해 나갔다.

*　*　*

쾅!

성지한은 마지막으로 남은 데스 나이트의 머리를 부쉈다.

[일반 퀘스트, '1차 다리 수성' 업적을 클리어하였습니다.]
[업적 포인트 1,000을 획득합니다.]
[히든 퀘스트, '일인군단'을 클리어하였습니다.]
[업적 포인트 10,000을 획득합니다.]

'맵이 바뀌니 좋군.'

협곡 맵에서는 더 이상 업적을 얻을 곳이 없었는데.

맵이 바뀌니 이렇게 데스 나이트 따위를 상대했다고 업적 포인트를 이렇게나 퍼주다니.

만족스러운 보상에 성지한의 입꼬리가 기분 좋게 올라갔다.

"잘 놀았느냐?"

저벅. 저벅.

한편 조금 전만 해도 성지한을 기생오라비라고 폄하하던 비장은 한결 풀린 표정으로 다가오고 있었다.

"운뢰가 자꾸 나를 꼬드기는구나. 너를 차기 제국 수문장으로 추천하라고. 널 주인으로 섬기고 싶나 보다."

비장이 그리 말하자.

지지지직!

그 말에 호응이라도 하듯, 천망뇌진을 이루고 있는 일곱 개의 뇌창에서 일제히 전기가 번뜩였다.

"하지만 그럴 수가 없게 되었다."

비장은 다리 너머를 가리켰다.

비록 데스 나이트 부대가 전멸했다지만.

거대한 다리의 건너편에는, 날개를 활짝 편 검은 새를 형상화한 깃발이 여럿 펄럭였으며.

흑색 갑주를 입은 기마병들이 빼곡하게 진열을 갖추고 있었다.

"풍제국의 최정예, 봉황대가 왔으니…… 이제 제국 수문장의 자리는 끝이 나겠지."

언데드 군단은 그저 전위 부대의 한 부류일 뿐.

적의 진짜 본대는, 언데드 군단과는 비교도 되지 않는 정예 중의 정예였다.

흑색 창기병, 봉황대.

하나의 다리 맵에서, 가장 어려운 2차 웨이브가 시작되려 하고 있었다.

쿵. 쿵.

적 창기병들 사이에서, 말을 탄 병사보다도 훨씬 큰 거인이 걸어왔다.

몸 크기뿐만이 아니라, 얼굴 생긴 것도 비틀려 있어 비장과 형제처럼 보이는 거인.

아니나 다를까. 그는 비장을 향해 입을 열었다.

"비장 형."

"호조 아우……."

봉황대 대주 호조.

그는 성지한을 힐끗 바라보았다.

"……좋은 제자를 두었구려."

"이놈은 내 제자가 아니다. 이렇게 생긴 놈을 내가 제자로 둘 리가 없지 않느냐?"

"그건 그렇구려. 얼굴이 참 유약해 보이니 말이오. 나름 재주가 있어 보이긴 하나, 저런 얼굴은 진정한 전사가 될 수 없지."

"그래. 그게 안타까워."

진심으로 이야기하는 두 거인의 모습에, 시청자들은 어이를 상실해 버렸다.

―얼굴 폭파된 애들이 얼평짓 하네 ㅋㅋㅋㅋㅋ

-그치 진정한 전사의 얼굴이 아니지 ㅇㅇ 성지한도 같이 뭉개지자

-__ 미친 거 아님?

-저렇게 얼굴 변하면 나 안 봐;;

그렇게 환담을 나누는 것도 잠시.

스르르릉-

호조는 등 뒤에서, 거대한 칼을 뽑아 들었다.

"비장 형. 같은 거인 일족으로서 마지막으로 충고하겠소. 풍 제국으로 귀화하실 생각은 없으시오?"

"그럴 수는 없다. 운 제국의 황상께서는 나의 의형. 형제의 의를 배반할 수는 없다."

"세상에 어느 형이 동생을 이렇게 홀로 내버려 둔단 말이오? 비장 형, 당신은 이용당한 거요."

"큿……! 그렇지 않다…… 의형께서는 다리를 지키러 오실 것이야."

그렇게 말하는 비장의 목소리에는 힘이 없었다.

구원군이 올 거라고 진심으로 생각하지는 않는 것 같았다.

"하하하! 비장 형! 운 제국의 황상이 저런 오합지졸만으로 다리를 지키라고 한 이유를 정녕 모르시겠소?"

스으윽.

호조가 대도의 칼끝으로, 다리 너머를 가리켰다.

이 게임에 소환된 50명의 플레이어와, 그들을 보조하는 병사 무리.

그는 저들을 오합지졸이라고 단정했다.

"이것 보시오!"

슈우우우⋯⋯!

칼끝에 바람이 모이더니.

거인이 도를 한 번 휘두르자, 광풍이 휘몰아쳤다.

그 바람은, 단순한 바람이 아니었다.

닿으면 베어질, 강렬한 도풍刀風이었다.

'이 정도야.'

성지한은 포스의 힘으로 바람을 억제하여, 쉽게 흘려 넘겼지만.

"컥!"

"으아악⋯⋯!"

다리 뒤편에서는, 각양각색의 비명 소리가 들려왔다.

저 먼거리에서, 다리 너머의 적을 도풍으로 도륙하다니.

'강하긴 하네.'

그렇게 호조의 도를 감상하던 성지한은 별안간 미간을 찌푸렸다.

그러고 보니, 뒤에서 비명 소리가 좀 너무 많이 난 것 같기도 한데?

'설마⋯⋯ 게임 끝은 아니겠지?'

생존자가 절반이 남게 되면 종료되는 디펜스 게임.

갑자기 그 기본 룰이 떠오른 것이다.

에이, 아니겠지?

저 가볍게 휘두른 도풍 하나 못 막아서 설마 게임이 끝나겠어?

그래도 골드리거인데?

성지한은 애써 긍정적으로 생각했지만.

[생존자가 15명 남았습니다.]

[게임이 종료됩니다.]

불길한 예감은 현실이 되었다.

* * *

"하하하. 정말 형편없지 않소? 반도 남지 않았소이다!"

호조는 칼끝으로 다리 너머를 가리키며 헛웃음을 지었다.

"당신 의형은 당신을 도울 생각이 없소이다. 오히려, 그대가 여기서 죽기를 원하겠지!"

"호조! 형님을 모욕하지 마라!"

"저 오합지졸들을 이끌고, 이 다리를 지키는 게 말이나 되오? 그 명령이 무슨 의미인지, 당신이라면 잘 알터……!"

"이노옴!"

천망뇌진이 거둬지고, 비장의 손에 운뢰가 다시 들어오자, 성지한은 그 모습을 보곤 표정을 굳혔다.

이거…….

하나의 다리 맵이 끝날 때 나오는 이벤트다.

"비장 형! 차라리 풍 제국으로 오시오! 황제께서는 그대를 중히 쓰실 것이오. 나를 보시오. 거인 일족인 나를, 봉황대의 대주까지 시켜 주셨소이다!"

"그럴 순 없다. 형제의 의를 배신할 수는 없어."

"배신은…… 그가 먼저 한 거요!"

호조의 말에 비장은 입술을 굳게 깨문 채, 대답을 하지 않았다.

대신.

꾸욱.

그는 성지한의 어깨를 잡았다.

"자네는…… 살게."

휙!

처음 다리에서 튕겨날 때와는 달리.

이번에는, 이벤트 페이즈라서 그런지 저항하지 못했다.

그렇게 성지한이 다리 뒤편으로 휠휠 날아가 버리자, 호조의 칼끝이 날아가는 성지한을 향했다.

"될성부른 싹은 잘라 내야……!"

"어림없다!"

성지한을 베려던 호조의 도가 비장의 창에 가로막히는 것을 시작으로, 둘은 거세게 격돌했다.

그러다가 잠시 뒤.

비장이 구름창 운뢰를 다리에 강하게 꽂았다.

"……그래. 나 혼자서는 막을 수 없겠지."

"그럼……!"

"막을 수 없다면, 부수겠다."

쿠르르르!

그 말을 끝으로.

거대한 다리가 무너지기 시작했다.

"허. 다리를 부수다니……!"

비장과 맞부딪쳤던 호조는 혀를 차며 뒤로 물러서고.

비장이 무너지는 다리와 함께 절벽 아래로 떨어지며 '하나의 다리'가 끝났다.

웨이브 2가 시작되기 전까지, 플레이어의 생존률이 50 퍼센트 이하로 떨어지게 되면 나타나는 '자폭' 이벤트였다.

성지한은 허공에서 이를 바라보며, 이번에 받은 에픽 퀘스트를 떠올렸다.

[에픽 퀘스트]

-제국 수문장 거인 비장의 인정을 받고, 그의 죽음을 막아라.

'이거, 나 혼자 잘한다고 되는 게 아닌데······.'

* * *

－뭐야. 여기서 끝남?
－무슨 게임이 이렇게 빨리 끝나요? 지한 님 더 봐야 하는데 ㅠㅠ

싱겁게 끝난 '하나의 다리'를 보며 시청자 일부가 불평했지만.

－원래 골드는 여기까지 버틴 게 잘한 거임.
－ㅇㅇ날아오는 유령 부대한테 전멸하고, 비장이 다리 부수는 게 기본이지.
－골드가 1차 웨이브를 어떻게 막냐 ㅋㅋㅋ 유령 부대한테 누가 마지막까지 살아남냐 서바이벌 게임이구만.

골드부터 다이아까지 플레이하는 맵 특성상, 골드에게는 이 맵이 상당히 어려운 편에 속했다.
골드에서는 적을 막는 게 아니라, 50퍼센트 안에 생존하는 게 주된 목표가 되는지라, 일각에선 이 맵을 서바이벌에 넣어야 하는 거 아니냐는 소리가 있을 정도였다.

－근데 성지한이 해낸 건 신박하기는 하네. 저렇게 1차 웨이브를 막네?

　－ㅇㅇ 근데 성지한만 가능한 방법임. 다른 애들은 1분 컷이지.

　－ㄹㅇㅋㅋ 누가 지 혼자 비장 대신 데스 나이트 군단 막냐고요~~ 골드 중에 가능한 사람 한 명도 없음.

　－그런데…… 그것을…… 실버가…… 해냈습니다…… ㅋ_ㅋ

　성지한은 비장에게 공중의 적을 요격하라고 하면서, 완전히 새롭게 게임을 이끌었다.

　후방에 있던 골드가 저렇게 허무하게 죽지만 않았으면, '하나의 다리'에서 새로운 게임 양상을 볼 수도 있었는데.

　－플레이어들 진짜 도움 안 되네 ㅋㅋㅋㅋ 풍압에 죄다 쓸리는 거 실화냐?

　－이제부터 성지한은 플래티넘과 일체가 돼야 한다……

　－근데 진짜 플레 수준 아니냐? 너무 말도 안 되게 센데?

　－플레도 데스 나이트 부대랑 저렇게 혼자 싸우는 건 힘들 거 같은데.. 레벨 150은 되야 하지 않나?

　－상태창 좀 보즈아아아!! 빨리 좋댓구알 좀 누르라고!!!

-응~ 다 눌렀어~~ 이제 영업해야 돼~~~

어느덧 성지한의 구독자 수는 70만을 돌파하고 있었다.

무시무시한 성장세였지만, 상태창이 궁금한 시청자들 입장에선 그것도 너무 더디게 느껴졌다.

한편 성지한은, 골드에게 실망하고 있었다.

'골드 수준이 이 정도밖에 안 됐나.'

큰 기대는 하지 않았지만, 아무리 그래도 저 멀리서 불어오는 호조의 도풍도 막지 못한다는 건 너무했다.

이대로면 자신이 아무리 1차 웨이브에서 잘한다 해도, 2차가 시작되기 전의 저 이벤트에서 모조리 나가떨어지게 생겼다.

'그렇다고 절벽 쪽에 있자니, 비장의 인정을 받기가 힘들고.'

아리엘을 소환해서 플레이어들을 보호하려 해도, 저 넓은 범위를 다 커버할 순 없을 터.

'역시 에픽 퀘스트, 쉽게 깨게 놔두지는 않는군.'

성지한은 그리 생각하며, 시스템 메시지를 바라보았다.

[디펜스 게임에서 1등을 기록했습니다.]

[하위 리그 소속에서의 참가 보상으로, 경험치와 GP 획득 증가량이 50퍼센트 올라갑니다.]

[1등 보상으로 경험치와 GP 획득 증가량이 50퍼센트

상승합니다.]

　[레벨이 3 올랐습니다.]

　[GP 50,000을 획득합니다.]

　'3레벨이나 올랐다……?'

　3레벨 업.

　실버쯤 되면 한 게임 우승했다고 해도 1레벨 업하기가 쉽지 않은데.

　실버인데도 골드와 같이 한 게임에서 1등을 해서 그런지, 보상이 어마어마했다.

　이쯤 되면 시스템이 빨리 골드로 좀 가 달라고 부채질을 해 주는 느낌이었다.

　그리고.

　뒤이어 나타난 메시지 창은 그 생각에 확신을 더해 주는 듯했다.

　[히든 퀘스트, '리그 초월'을 달성했습니다.]

　[업적 포인트 30,000을 보상으로 획득합니다.]

　[히든 퀘스트, '상위 리그에서 1위를 달성하라'를 클리어하였습니다.]

　[업적 포인트 50,000을 보상으로 획득합니다.]

　업적 포인트 보상은 더욱 엄청나서, 에픽 퀘스트를 깨

는 것보다 더한 포인트를 수확해 버린 것이다.

'이러면 지금 얻은 업적 포인트가…….'

성지한은 얻은 추가 포인트 3을 무력에 모두 투자한 후, 상태창을 확인했다.

이름 : 성지한
레벨 : 43
소속 : 실버 리그 - 강남 1 에어리어
무력 : 58
포스 : 58
검영 : 23
클래스 - 서포터
클래스 - 메이지
클래스 - 워리어
기프트 - 달의 그림자 (등급 SS)
칭호 - 왕중의 왕 - 브론즈
브론즈 리그의 지배자
업적 포인트 - 185,300

예전과 비교하면 확연히 커진 상태창.

성지한은 능력치를 쭉 둘러보았다.

'확실히 성장률 증가 버프가 쓸 만해.'

길드를 창설하고 그리 오랜 시간이 지나진 않았지만.

남는 시간에는 계속 수련에 열중해서 그런지 무력과 포스는 1, 검영은 2나 오르는 효과를 보았다.

이 정도 능력이면 실버는 물론이고, 골드에서도 적수를 찾을 수 없는 수준이었다.

'이 정도면 플래티넘도 상대할 만한데.'

무력과 포스의 연계 효과를 생각하면, 최소 레벨 100부터 시작하는 플래티넘도 충분히 제압 가능해 보였다.

200레벨부터 시작하는 다이아와의 전투는 아직 힘들겠지만, 그래도 쉽게 질 것 같지는 않았다.

'이대로만 성장하면, 다이아가 되기 전에 국가대표가 될 수도 있겠군.'

성지한은 그리 생각하며 업적 포인트를 어디다 쓸지 생각했다.

'클래스 추가가 25만이었지.'

아처를 제외하고는, 모두 갖춰진 클래스 상황.

여기서 클래스 추가를 하나 더 구매해서, 아처 직업까지 얻는다면 모든 클래스를 얻게 되는데…….

'분명히 뭔가가 있을 것 같단 말이지.'

근거는 없지만, 성지한은 묘한 확신이 들었다.

올 클래스를 얻으면, 상태창에 4개의 클래스가 저렇게 주르륵 나열되고 끝나진 않을 것 같았다.

비록 예전에 업적 포인트를 다 쓸 때만 해도, 근거 없는 예감 때문에 25만을 쓰는 건 무리라고 생각해서 클래스 추가는 생각하지도 않았지만.

'생각보다 업적 포인트가 잘 벌린다.'

벌써 18만이다.

이 정도면, 7만을 더 모아서 클래스 추가에 도전해 볼 만했다.

'좋아. 다음 목표는 클래스 추가다.'

그러려면, 큼지막한 업적 퀘스트를 깨야겠지.

'일단 하나의 다리 에픽 퀘스트는 못 깬다.'

혼자 아무리 용을 써 봤자 뭐 하나.

팀원이 한 방에 추풍낙엽처럼 쓸려 가는데.

때문에, 지금 깨야 할 건 따로 있었다.

'인베이드 맵의 연계 퀘스트.'

내시드 백작을 잡으라는 퀘스트.

처음 그 퀘스트를 받았을 때만 해도 엄두를 내지 못했지만, 지금은 상황이 달랐다.

'공략법을 알아봐야겠군.'

* * *

일본무역상사 한국지부 사무실.

추리닝 차림의 주은지는 컴퓨터 앞에서 맥주를 마시며, 성지한 채널의 영상을 보고 있었다.

"와…… 진짜 미쳤네."

오징어 다리를 잘근잘근 씹던 그녀는 데스 나이트 군단과 맞서는 성지한을 보고 입을 쩍 벌렸다.

씹고 있던 오징어가 키보드 위로 떨어졌지만.

"다케다. 이거 버려."

"넷! 여신님!"

그녀는 그걸 의자 뒤로 휙 던진 채 계속 성지한의 무력 쇼를 감상했다.

"저 정도면 검왕이 실버일 때보다 확실히 강해."

"맞습니다. 여신님. 실버가 골드랑 게임하는 것 자체가 배틀넷 사상 처음입니다."

"그러게……."

'본체로 와야 했나?'

주은지는 잠깐 그렇게 생각했지만.

'아냐. 검왕을 확실히 틀어잡는 게 먼저야.'

아직 완벽하게 장악하지 못한 검왕을 떠올리고는 고개를 저었다.

일본이 지금 계속 1등을 달리는 건, 모두 검왕 때문.

아무리 미래의 유망주가 중요하다지만, 당장은 현재의 성적을 만들어 줄 수 있는 플레이어가 더 중요했다.

'어떻게든 그와 접점을 만들어야 하는데…….'

성지한과 한 번 접촉만 한다면, 그를 꼬드길 수 있을 거라고 자신했건만.

지금껏 그녀로서는 한 번도 본 적이 없는 메시지가 뜬

이후로는 상황이 여의치가 않았다.

일단은 어떻게든 그와의 접촉을 늘려야 할 거 같은데.

'펜트하우스에서 내려오질 않으니…… 나 참.'

성지한은 어쩌다가 길드 관련 보고 받으러 내려올 때 빼고는 철저히 펜트하우스에서만 생활하고 있었다.

들리는 이야기로는, 거기서 수련을 미친 듯이 한다고…….

그래서 주은지는 애당초의 계획과 달리, 길드에 취직한 이후로 주구장창 편집 일만 하고 있었다.

"펜트하우스를 들어가야 하는데. 쉽지 않네……."

주은지가 맥주를 들이켜며 그리 말하자.

뒤에서 무릎 꿇고 있던 다케다가 조심스레 고개를 들었다.

"윤세아를 장악하시는 게 어떻겠습니까? 그리고 친한 언니 사이가 되셔서 펜트하우스에 초대받으시면……."

"성지한에게 권능이 통하지 않아서, 다른 플레이어한테 힘을 함부로 낭비를 할 수가 없어. 분신의 힘은 그렇게 남아도는 게 아니거든."

"으음……."

주은지의 말에 미간을 찌푸리며 고민을 거듭하던 다케다는 손뼉을 딱 쳤다.

"아! 좋은 방법이 생각났습니다!"

"뭔데?"

주은지가 심드렁한 얼굴로 반문하자, 다케다는 침을 튀기며 열변을 토했다.

"펜트하우스에 가시기만 하면 되지 않습니까? 그렇다면……!"

* * *

대기 길드 사무실.

"……오너님이나 세아의 트레이닝 장면을 촬영하자고요?"

"네! 꼭 두 분뿐만이 아니라, 다른 분들도 트레이닝 하는 게 있으면 같이 찍어서 올리면 좋을 것 같아요."

길드 마스터 이하연은 주은지의 제안을 듣고 생각에 잠겼다.

'괜찮은 발상인데?'

확실히, 요즘 길드 채널은 저번에 성지한이 광고 촬영을 한 이후로 특별한 컨텐츠가 없긴 했다.

'지금 영상 편집하는 것만 해도 힘들 텐데. 자발적으로 나서서 일을 만들어 내다니…….'

이하연은 주은지를 따뜻한 눈으로 바라보았다.

재택근무를 선호하는 다른 편집자와는 달리, 정시에 출근하고 정시에 퇴근하며.

영상 편집도 다른 직원에 비해 훨씬 많은 양을 하고,

퀄리티도 가장 좋았다.

그런데 거기서 더 나아가 길드를 위해, 업무 폭탄에 시달릴 아이디어를 내다니.

'이런 직원은 무조건 잡아야지.'

회사 일을 자기 일처럼 생각하는 직원이 세상에 얼마나 되겠는가.

이하연은 주은지가 너무나도 예뻐 보였다.

"좋은 아이디어 고마워요. 제가 한번 물어볼게요."

"네. 알겠습니다."

90도로 꾸벅 인사한 주은지가 길드마스터실에서 나가자.

그 뒷모습을 흐뭇하게 지켜보던 이하연은 바로 성지한에게 연락을 했다.

"트레이닝 과정을 촬영하자고요?"

[네. 길드 컨텐츠로 보여 주면 어떨까 해서요. 혹시 민감한 부분이 있거나 하면 그런 건 빼면서요.]

"딱히 민감한 건 없긴 합니다."

성지한은 전화를 받으며 옆을 쳐다보았다.

펜트하우스의 트레이닝 룸.

윤세아는 바벨에 플레이트를 가득 매단 채.

"후, 후우우……."

호흡을 가다듬고 스쿼트를 하고 있었다.

새빨개진 얼굴로 땀을 뻘뻘 흘리고 있는 윤세아.

"끄…… 끄으으읏!"

세트가 반복될수록 얼굴이 일그러지는 세아를 바라보던 성지한은 고개를 저었다.

"근데 트레이닝 중에 세아 얼굴이 너무 망가져서…… 그게 조금 걸리긴 하네요."

"아, 삼촌! 얼굴이 망가지긴 뭐가 망가져! 나 할래!"

바벨을 스쿼트 랙에 내려놓은 윤세아가 얼른 다가와 항의했다.

"넌 눈 감아서 모르는 거지. 마지막에 가관이었어."

"와~ 삼촌 진짜 너무하네! 나 할 거야, 무조건 할 거야!"

얘는 왜 이렇게 의욕이 넘쳐?

성지한이 의아한 눈으로 쳐다보자, 윤세아가 씩 웃었다.

"사람들이 자꾸 스탯이 어떻게 그리 빨리 오르냐고…… 기프트빨 쩐다고 하도 악플을 달아서 말이야. 훈련하는 거 한번 보여 주고 싶었어."

"……그런 거로도 악플을 박아?"

참 할 일도 없는 사람들이군.

이내 성지한은 고개를 끄덕였다.

"좋아. 그럼 촬영하자."

얼마나 토 나오게 운동하는지 한 번 보면, 더 이상은 그런 악플이 나오지 않겠지.

"하연 씨, 들으셨죠? 하겠습니다."

[네. 그럼 언제가 괜찮을까요?]

"저야 언제든 상관없습니다. 바로 올라오셔도 돼요."

[알겠습니다. 금방 준비할게요~!]

그렇게, 성지한은 이하연의 제안을 수락했다.

* * *

대기 길드 채널.

성지한의 광고 메이킹 영상이 업로드 된 이후에는, 딱히 주목받을 만한 영상이 올라오지 않았던 채널에서, 새로운 영상이 떴다.

[펜트 하우스 전격 취재! 길드원들은 과연 어떤 트레이닝을 할까?]

"여러분 안녕하세요~!"

마이크를 든 이하연은 주은지가 든 캠을 바라보며, 손을 흔들었다.

다른 길드의 길드마스터들은 엉덩이가 무거웠던 데 반해, 이하연은 이런 방송 거리가 있으면 적극적으로 자신을 어필했다.

그 이유야 당연히……

-오우야! 눈나~~ 보고 싶었어요!!

-방송 좀 자주 켜 주세여 ㅠㅠ

-오늘도 미쳤네 ㄷㄷㄷ 미모 열일한드앗!!!

길드 채널을 구독하고 있는 시청자들의 열렬한 반응을 이끌어 내기 위해서였다.

"에이 또 너무 띄워 주신다~ 후후!"

이하연은 손사래를 쳤지만.

눈웃음을 살살 치며 윙크를 하는 것이, 영락없는 여우 같았다.

'흐응~ 애 좀 하네?'

캠을 들고 있는 주은지가 그리 생각할 정도로, 이하연의 행동거지는 하나하나가 남심을 녹이기에 충분했다.

-눈나 나 죽어!! ㅠㅠㅠㅠ

-뭐 하러 펜트하우스 감? 그냥 길마 캠방 하자 ㅠㅠ

-ㄹㅇ성지한은 성지한 채널에서 매일 보지만 누나는 보기 힘들어요ㅠㅠㅠ

-주접 멈춰!! 그러다 길마 착각한다;;

-그러다 진짜 안 간다니깐!! 지한 님이 주인공이라고!

그렇게 채팅이 한참 난리통이 되는 모습을 여유롭게 지켜보던 이하연은.

'좀 모였네.'

사람이 어느 정도 찼음을 확인하고, 엘리베이터로 발걸음을 옮겼다.

"자. 그럼 여러분. 소드 팰리스의 펜트하우스로 가 보실까요?"

삐삑. 삑.

소드 팰리스 전용 엘리베이터에서 호출버튼을 누르자, 엘리베이터 옆 스피커에서 성지한의 목소리가 흘러나왔다.

[누구시죠?]

"오너님. 저 하연이에요~!"

[아, 네. 올라오세요.]

드르르르-

엘리베이터의 문이 열리자, 이하연은 반짝거리는 펜트하우스 전용 엘리베이터를 바라보았다.

"저도 소드 팰리스의 펜트 하우스는 처음 가 봐요."

-에이, 하연 눈나도ㅋㅋ 재벌가 딸인데 저 정도에서 사는 거 아니에요?

-ㄹㅇ 무려 이성가 출신인데.

"에이~ 옛날에 살고 있던 집이라면 모를까…… 지금 제가 사는 집은 길드 사무실보다 작을걸요? 독립해서 살고 있거든요."

-아.

-길드 사무실…… 졸라 커 보이던데…….

"어머. 꼭 그런 건 아니지만. 제가 제 보디가드인 가영이랑 같이 살아서. 어느 정도 공간이 있어야 해요."

이하연이 카메라 뒤편에 서 있던 임가영을 가리키자, 임가영은 재빨리 쉿 제스처를 취했다.

아무래도 경호를 맡고 있는 입장이기에, 자세한 정보를 푸는 건 부담스러웠기 때문이다.

"이 이야기는 우리 보디가드가 더 이상 하지 말라네요. 여러분."

-그 단발 누나? 왜 방송에 안 나와요!!!

-언니 보여 줘요!!! 보여 줘, 보여 줘!!!

-보디가드면,,, 옆에서,, 딱,,, 지키고 있어야,,, 하는 거,,, 아닙니까,,,?

"아, 그러네요. 가영아, 올래?"

이하연이 시청자들의 반응을 보고 임가영에게 손짓을 했지만.

"괜찮습니다."

임가영은 이런 관심이 달갑지 않은지, 거세게 도리질 쳤다.

하지만 이하연이 씩 웃으며 몸을 옆으로 옮기자.

문이 열린 엘리베이터의 거울에 임가영이 도리질 치는 모습이 그대로 비춰졌다.

"아가씨……."

−오 길마님 센스 좋네요ㅋㅋ

−보디가드 누나 은근히 귀엽네~~ㅎㅎ

−언니 원래 귀여웠거든요?

임가영은 한숨을 푹 쉬었다.

"진짜 아가씨 때문에 얼굴 다 팔리게 생겼습니다."

"플레이어는 사람들 관심 받고 사는 직업인데. 드러날수록 좋은 거야."

"이럴 땐 참 맞는 말만 하시는데…… 왜 하필."

"뭐? 왜 하필 뭐?"

"아무것도 아닙니다. 방송에서 하긴 적절치 않은 이야기라."

"야. 그렇게 말하고 끝내면 내가 뭐가 되는데!"

엘리베이터가 올라가는 동안, 그렇게 잡담을 나누던 이하연과 임가영이었다.

하지만 그것도 잠시.

최상층에 도착하자, 이하연은 대화를 멈추고 본래의 방송 목적인 '트레이닝 촬영'에 들어갔다.

"오셨어요?"

성지한이 펜트 하우스 입구에 마중 나오자. 캠을 들고 있던 주은지가 눈을 빛냈다.

"마이크 세팅부터 하실게요~!"

트레이닝 촬영을 건의했던 주은지가 성지한에게 얼른 다가갔다.

그녀가 익숙한 동작으로 소형 무선 마이크를 그에게 걸어 주려 할 때.

지직—

"아. 또 정전기가…… 죄송해요."

"아뇨. 괜찮습니다."

맞닿은 부위에서, 정전기가 또다시 튀었다.

'예전에도 이랬던 거 같은데.'

정전기가 많은 사람인가.

성지한은 대수롭지 않게 생각하면서, 그녀에게 세팅을 받았지만.

'……또 안 되네.'

주은지는 당혹스러운 마음을 겨우 눌러 참을 수밖에 없었다.

[접근 권한이 없는 상대입니다.]

[접근을 위한 분석을 시도합니다.]

[상대방의 시스템이 분석을 불허합니다.]

[접근이 차단됩니다.]

두 번째의 접근 시도도 아예 철벽처럼 가로막혔기 때문이다.

'분석이 아예 안 되면, 접촉을 몇 번 더 한다고 해도 소용이 없겠는데…….'

성지한 공략.

쉽지 않을 거라고는 예상했지만, 그래도 접촉을 늘리다 보면 활로가 보일 것 같았는데.

두 번째 접촉에서 나온 시스템 메시지는 저번보다 더 강경했다.

"자. 다 되셨어요~"

복잡한 심경과는 달리, 주은지는 철저하게 웃는 낯을 유지한 채 성지한에게서 떨어졌다.

"수고하셨어요. 은지 씨."

"뭘요. 마스터님."

주은지는 이하연에게 캠과 함께, 같이 가져온 다이어리를 건네받았다.

일정표가 드문드문 적혀 있는 다이어리 안에는.

그녀가 이번 펜트하우스 방문을 위해 준비해 둔 비장의 수단이 있었다.

원래 성지한을 꼬드기는 데 쓰기엔 아까운 물건이었지만…….

'접근이 차단될 정도의 상대야. 할 수 있는 건 다 해야 해.'

주은지는 웃는 낯으로 냉철하게 판단했다.

* * *

펜트 하우스의 중심부.

이하연은 웬만한 헬스장과는 비교도 되지 않는 훈련 시설을 보며 감탄을 터뜨렸다.

"와. 트레이닝 룸이 엄청 크네요? 헬스장 열어도 되겠어요."

"이거 때문에 아직 이사를 안 가고 있죠."

"아니, 오너님. 배틀넷 관리국장님이 바뀌고 난 이후엔 펜트하우스에서 나가란 말씀은 거둬지지 않았나요? 제가 저번에 신임 관리국장님 만났을 땐 제발 있어 달라고 하시던데……."

자진 사퇴 형식이었다고는 하지만, 실질적으로는 쫓겨나다시피 한 전임 관리국장.

그를 대신해 들어온 신임 관리국장은 성지한에게 매우 유화적인 입장이었다.

전임자가 그렇게 잘리는 걸 봤으니, 당연히 그럴 수밖에 없었다.

"그래도 소드 펠리스 기부까지 한 마당에 언제까지 있

을 순 없죠. 세아의 트레이닝이 어느 정도 성과를 보이면, 집을 알아봐야 하지 않을까 생각 중입니다."

"그렇군요……."

　-이 좋은 집을 두고 어디 가세요 ㅠㅠ
　-설마 뉴욕 시티?
　-뉴욕 이야기 좀 그만해라 ㅡㅡ 지한 님은 안 가신다!
　-근데 소드 팰리스에서 나오면 불안하긴 할 듯……ㅜㅜ
　-집 나오자마자 또 게이츠업 나올까 봐 조마조마해 ㅋㅋㅋ
　-ㄹㅇ후원 메시지에 게이츠 뜰 때마다 가슴 철렁함 ㅋㅋㅋㅋ

　로버트 게이츠의 후원 메시지에 PTSD를 느끼는 시청자들이었다.

　로버트 게이츠의 금융 폭격 맛을, 그들도 간접적으로 경험했으니까.

　그 인간이라면 충분히 소드 팰리스의 펜트하우스보다 더한 집을 성지한에게 마련해 줄 것 같았다.

"오너님. 한국 안 떠나실 거죠?"

"아직은 그럴 생각 없습니다."

"아직은…… 의미심장한 대답 잘 들었고요. 자자! 그럼 저희 본래의 목적에 맞게 트레이닝부터 볼까요?"

이하연은 화제를 돌리며, 트레이닝 룸 안쪽으로 들어갔다.

그러자 거기에는, 땀에 흠뻑 젖은 윤세아가 벤치에 털썩 앉아 수건으로 머리를 닦고 있었다.

"헥, 헥…… 오셨어요? 언니?"

"응, 세아야."

–오우…… 땀…….

–ㅗㅜㅑ…….

–대기 길드 너무 좋아요…… 3인방 최고예요…….

–이제 미성년자 아니지? 보고 좋아해도 쇠고랑 아니지?

–그런다고 쇠고랑은 안 참;

안 그래도 미모로 유명했던 윤세아다.

여기에 평소엔 볼 수 없었던, 땀에 푹 절어 지친 모습이 비춰지니, 시청자들은 색다른 모습에 환호했다.

하지만…….

"삼촌. 나 힐 좀."

"그래. 리제네레이션. 힐. 그레이트 힐."

"하아, 살겠다아아."

"자, 그럼 다시 근육 찢으러 가야지?"

"……네."

"대답이 약하다."

"넷!"

성지한의 힐 3종 세트가 들어가고, 윤세아가 다시 운동하러 출발을 하자.

시청자들은 슬슬 분위기가 장난이 아니라는 걸 감지했다.

-아 성지한 서포터긴 서포터네. 대체 힐을 몇 번 쓰는겨ㄷㄷ

-애 잡는 거 아니냐;;

-저래야 체력 스탯이 그렇게 오르나?

저벅. 저벅.

바닥에 놓인 바벨을 향해 도살장에 끌려가는 소처럼 걸어가던 윤세아에게, 칼날 같은 성지한의 한마디가 날아들었다.

"무게 조금 올린다?"

"히익……."

성지한의 손짓에, 여러 플레이트가 허공에 떠오르더니, 바벨에 투두두둑 꽂혔다.

그리고는 그 바벨을 양손으로 쥔 윤세아.

"흐읍……!"

그녀가 호흡을 가다듬고 데드 리프트를 시작하자, 그

녀의 등 근육이 팽팽하게 부풀어올랐다.

　－ㅓㅜㅑ…… 가 아니라 엄마야인데 이건;
　－ㅁㅊ 걸크러쉬.
　－무게 몇을 치는 거야……. 플레이트 두께 봐라 미쳤
는데?

　"으그그극……!"
　쿵!
　윤세아가 바벨을 놓자, 바닥에서 어마어마한 소리가 났
다.
　"자, 조금만 더 하자."
　"아, 아라써……!"
　얼굴이 시뻘게진 채, 젖먹던 힘까지 총동원하는 윤세아
를 보고 이하연의 입이 저절로 벌어졌다.
　헬스 하는 거 자체야 놀랄 일은 아니었다.
　이성 길드에 있을 때도, 수많은 플레이어가 그렇게 자
신의 몸을 단련해 왔으니까.
　하지만.
　"자, 5분 쉬고 힐 3종 또 들어갈게. 다시 하자."
　"아, 알았…… 어…….."
　저렇게까지 오래 몸을 혹사하는 경우는 보지 못했다.
　체력 스탯에 힘까지 어찌 그리 폭풍 성장하나 했더니.

이런 미친 트레이닝을 계속하고 있었단 말인가?

-진짜 살벌하게 하네…….
-이러면 근 성장에 방해가 될 텐데요. 근육을 이렇게 혹사하기만 해서야 어떻게 근육이 큽니까?
-플레이어는 힐이 있자너…….
-근성장에 필요한 건 자극뿐만이 아니라, 충분한 휴식과 영양 공급입니다. 저건 학대예요!
-하지만 저렇게 해서 스탯 제일 많이 오름ㅋㅋ

채팅창에서 한참 이 정도면 고문이다 아니다로 난리가 날 때.

윤세아의 훈련을 바라보던 임가영이 눈을 반짝였다.

"저, 성지한 님. 질문 하나 해도 되겠습니까?"

"네, 하세요."

"리제네레이션. 힐. 그레이트 힐. 이거 순서에 혹시 의미가 있을까요?"

'아, 아직 이 최적의 조합을 모를 때였군.'

근성장을 위한 최적의 치유 마법 조합.

이 순서를 알아낸 건 미래의 성녀, 소피아였다.

'뭐, 이 정도 정보는 미리 풀어도 되겠지.'

소피아도 이 조합을 알아낸 게, 저번 생의 성지한을 도와주기 위해서였으니까.

그때도 그녀는 자기가 알아낸 정보를 세상에 공짜로 풀었었다.

"그건······."

성지한이 입을 열었다.

4장

4장

"리제네레이션으로 근 성장에 필요한 회복 시간을 단축시키고, 힐과 그레이트 힐을 동시에 사용해서 근육 합성을 촉진한다……."

"그렇습니다."

성지한의 설명을 들은 임가영은 고개를 끄덕이며, 그에게 질문했다.

"그런데 꼭 힐과 그레이트 힐, 두 회복 마법을 같이 써야 하는 이유가 있습니까?"

"힐만 사용하면 근 성장을 방해하는 경우가 있어서요. 그레이트 힐의 경우 그런 부작용을 잡아 줍니다. 그레이트 힐이 신경계의 피로를 회복하는 것과 연관이 있는 것 같은데…… 자세한 이유는 저도 확실히 모르겠습니다."

예전에 성녀 소피아에게 이에 대한 기전에 관해 긴 설명을 듣긴 했지만.

서포터가 아니라서 흘려들었다.

성지한은 그냥 '이게 경험상 제일 효과가 좋았습니다.'라고 말하기로 했다.

자세한 기전은 다른 연구자들이 나중에 밝혀 주겠지.

"그레이트 힐이 필요한 거면. 저레벨 서포터들은 사용하기 힘들겠습니다."

"그럼 리제네레이션만 쓰는 게 나을 겁니다. 그레이트 힐이 없으면, 피로가 완전히 풀리지 않거든요."

─이런 거 꽤 고급 정보 아님?

─그러게? 막 풀어도 되나??

─근데 실제로 써먹긴 힘들 듯. 그레이트 힐 쓸 수 있는 서포터가 트레이닝을 도와줄 거 같진 않은데.

─하긴 병원 알바 뛰는 게 돈 훨씬 더 벌겠지ㅋㅋㅋㅋ

─ㄴㄴ 효과 있는 게 확실히 입증되면 또 이야기가 달라질걸?

─ㅇㅇ 길드가 병원보다 돈 많으니까.

성지한이 고급 정보를 너무 쉽게 풀어서일까.

이걸 듣고 있던 시청자들이 오히려 걱정을 표할 정도였다.

"괜찮습니다. 이런 트레이닝 방법이 널리 알려지면 좋죠."

채팅을 본 성지한이 아무렇지도 않은 듯 이야기하자, 임가영이 조심스럽게 물었다.

"혹시…… 실례가 안 된다면, 저도 한번 체험해 볼 수 있을까요?"

"그러시죠."

이내 임가영은 슈트 재킷을 벗고, 윤세아의 옆에 있는 스쿼트 랙에 나란히 섰다.

안에 얇은 셔츠를 입었음에도, 어렴풋이 드러나 보이는 탄탄한 근육.

그녀는 바벨에 플레이트를 마구 꽂아 넣었다.

-둘이 나란히 운동하니 예술이 되네.
-근데 드는 무게는 폭력적임…….
-무게 몇을 놓는 거야 대체 ㅋㅋㅋㅋ
-내가 들면 깔려 죽을 듯 ㄷㄷ
-가영 눈나…… 나보다 어깨 넓엉…….

임가영이 옆에서 스쿼트를 시작하자.

"나도 해야지!"

윤세아도 자극을 받았는지 옆에서 쉬던 걸 끝내고 운동을 시작했다.

둘이 나란히 운동을 해서 서로 자극을 받는지.

땀을 비 오듯 흘리면서 미친 듯이 근육을 혹사하는 둘.

"셔츠 좀 벗어도 되겠습니까?"

"아…… 그러세요."

임가영은 땀에 푹 젖은 하얀 셔츠마저 휙 벗어던진 채, 나시 차림으로 근육을 찢기 시작했다.

―어우…… 강하다…….

―둘 다 근육 울퉁불퉁한 거 보소;;

―아아― 아무래도 대기 길드 3대 미녀 중 둘은 「탈락」해야겠구나―.

―갑자기 탈락??

―내 신부가 되기엔…… 너무나도 강하다―.

―――나가 뒈지세요.

"흡!"

"후우……!"

두 사람이 무시무시한 기세로 운동을 진행하자.

이를 눈을 껌뻑이며 지켜보던 이하연이, 캠 쪽으로 시선을 돌렸다.

"여러분. 갑자기 헬스 방송이 되어 버렸네요. 오너님이 어떻게 트레이닝을 하는지도 봐야 하는데……."

"저요? 그럼 지금 찍을까요?"

"어…… 힐 안 주셔도 돼요?"

"근육을 완전히 혹사시키고 난 다음에 치료 마법을 사용하는 거니까요. 한 시간은 있다가 시전할 겁니다."

이하연은 그 말에 헬스를 하고 있는 두 사람을 바라보았다.

……저 근육 찢는 모습을 한 시간이나 찍고 있을 순 없지.

"네. 그럼 오너님 트레이닝 하는 모습, 보러 가실까요?"

* * *

트레이닝 룸의 옆 방.

헬스 기구가 놓여 있던 트레이닝 룸과는 달리, 이 방 안에는 아무것도 놓여 있질 않았다.

"텅 비어 있네요?"

"네. 제가 수련할 땐 따로 물건이 필요 없어서요."

성지한은 그러며, 왼손을 들었다.

"제 수련 방법은 간단합니다. 아리엘."

스으윽―

성지한의 팔에서, 다크 엘프 아리엘이 튀어나왔다.

그녀는 성지한을 바라보며 무덤덤한 얼굴로 물었다.

"주인, 또 '그거' 할 건가?"

"응, 이번엔 더 강하게 공격해 봐."

"좋다."

형체를 이루었던 아리엘의 몸이 순식간에 해체됐다.

육신 대신 최초의 형태였던 그림자 기운으로 변한 그녀는, 마치 안개가 흩어지듯 사방으로 퍼져 나갔다.

[이번에는 한 대 맞추지.]

스으으으―

운무처럼 흩어진 검은 기운이 서로 뭉치며, 하나하나가 작은 검의 모양을 만들어 냈다.

작은 크기인 만큼 하나하나가 품고 있는 기세는 그렇게 강렬하지는 않았지만, 숫자 자체가 워낙 많아서.

성지한을 상하좌우 모든 방위에서 물 샐 틈 없이 포위하고 있었다.

그 기이한 광경에 이하연이 어안이 벙벙한 표정이 되었다.

"어…… 이건 어떤 수련법이죠?"

"제 염동력을 조절하는 수련법입니다. 아리엘의 검이 제 몸에 닿으면 제 패배고. 제가 저 검을 염동력을 이용하여 흘리면 이기는 거죠."

"아하. 승패가 있네요. 지금까지 전적이 어떻게 되시나요?"

"전 지금껏 져 본 적이 없습니다. 배틀넷에서든, 수련에서든."

성지한이 담담히 말하자, 사방에 놓인 검이 꿈틀거렸다.

[이번엔 다를 거다. 주인. 꼭 맞춰서 이기도록 하지.]

"내기한 것도 있나요?"

"예. 다음에 레벨 업을 하면 그림자 관련 스탯을 찍어 주냐 마냐로 걸었습니다."

"아……."

–자기 잔여 포인트로 스탯 딴 거 찍는 거네.

–ㅋㅋㅋㅋ 그럼 뭐 딱히 손해 볼 건 없는 거 아님?

–ㄹㅇ 그림자 스탯도 개사기 같은데 ㅋㅋㅋ

시청자들의 말대로, 딱히 손해 볼 것도 없지 않나?

이하연은 그리 생각하면서도, 물론 입 밖에 내지는 않았다.

이내 수련이 시작됐다.

휙.

사방에 떠오른 작은 흑검이, 성지한을 향해 날아온다.

어떤 것은 빠르게.

어떤 것은 느리게.

예측을 할 수 없을 정도로, 검의 속도는 불규칙했다.

하지만.

[역시…… 안 되나?]

성지한이 지배하는 영역에 가까워지자, 검의 움직임이 제멋대로 바뀌기 시작했다.

성지한의 눈을 찌르려던 검은, 검 끝을 반대로 돌렸고.

그의 얼굴과 가슴을 찌르려던 검은 방향을 돌려 다른 검과 부딪쳤다.

일제히 압박해 오던 검의 비가, 서로 부딪치거나 반대로 날아가 와해되자.

성지한은 여유로운 얼굴로 어깨를 으쓱였다.

"흠. 이 정도인가?"

[주인…… 대단한 장악력이군. 그새 더 컨트롤을 향상시킨 건가.]

"다음엔 조금 더 개수를 늘려야겠어. 이대로면 영영 못 맞출걸."

[그러려면 검영 스탯이 필요하다.]

"아직 그걸 찍을 여유는 없어서 말이야."

검우劍雨를 완전히 막아 낸 성지한과 아리엘은 그렇게 수련을 끝내고 대화를 나누었지만.

-?

-뭐야. 설마…… 끝?

시청자들 입장에선 너무도 싱거운 결말이었다.

밖에서 보기에는, 너무 수련이 빨리 끝났기 때문이다.

이쑤시개처럼 작아진 검이 좀 날아가나 싶더니, 자기들끼리 엉키면서 사라져 버렸으니까.

-뭔가 임팩트는 헬스걸들이 더 강한 거 같음

-ㅇㅇ; 아니 조카는 옆방에서 근육 조지고 있는데 삼촌은 양반다리하고 신선놀음하네?

-와. 어이없네. 지금 지한 님한테 신선놀음이라고 한 거예요? 저 수련에 담긴 깊은 뜻도 모르는 주제에!!

-응~ 근데 너도 모르잖아~

-어린놈의,,,쉐끼들이,,,! 이기어검이라고 들어나 보았느냐!

-할배요! 방송 보지 말고 쉬세요. 눈 나빠져요!

성지한의 극성 팬층과 라이트 팬이 서로 싱겁다 vs 아니다로 대립하고 있을 무렵.

'어. 벌써 끝이야⋯⋯?'

리포터 역할을 하는 이하연 역시 시청자들처럼 성지한의 수련이 생각보다 별거 없다고 생각했지만.

'⋯⋯이 사람. 수준이 달라.'

캠을 들고 있는 주은지의 얼굴에는 생글생글한 미소가 사라진 상태였다.

펜트하우스에 온 이후, 접근 차단 메시지가 떴을 때도 억지로 지었던 환한 미소가.

처음으로 사라진 채, 얼굴이 딱딱하게 굳어 있었다.

'한순간, 이 공간을 완전히 지배했어.'

플레이어라고 보기에는 무리가 있는 이하연과는 달리.

주은지는 비록 지금의 몸이 본체가 아니라 분신이라고 할지라도, 수준을 파악하는 눈은 갖추고 있었다.

'검을 조종하는 그림자의 힘은 분명 성지한이 발휘한 힘보다…… 강했다.'

겉으로 보기에는 너무나도 쉬워 보였다.

아리엘의 검이라고 해 봤자, 성지한에게서 시작된 힘이 아니던가.

그걸 너무 쉽게 컨트롤하는 모습을 보여 주니.

―어차피 그림자검도 성지한이 쓰는 거잖아.

―자기 힘을 자기가 컨트롤하는 게 뭐가 어려움? ㅋㅋ ㅋㅋ

별거 아니네!

그것이 일반 대중들의 생각할 수 있는 감상이었다.

하지만.

'그림자 검에 깃든 힘이, 성지한이 공간을 지배한 힘에 비해…… 적어도 세 배는 강했어.'

'여신'의 분신, 주은지는 성지한의 실력을 확실하게 파악할 수 있었다.

둘의 대결은 싱겁게 끝난 것 같았지만.

그 안에 담긴 힘의 교환은 매우 절묘했다.

그림자 검이 압박하는 힘은 성지한이 공간을 지배한 힘

에 비해 훨씬 강했지만.

그는 믿을 수 없을 정도로 정교한 컨트롤을 통해, 힘의 열세를 쉽게 이겨 냈다.

'그 과정 역시…… 너무나도 자연스럽게 검의 궤도를 비틀었어.'

철저한 공간 장악력을 바탕으로, 자신의 것보다 훨씬 강력한 외부의 힘을 지배한 것이다.

'이자는…… 무조건. 무조건 일본에 데리고 가야 해. 한국에 있으면 필시 큰 후환이 될 거야.'

주은지는 입술을 깨물었다.

검왕을 꼬드겼으니, 한국을 확실히 짓밟고 일본이 리그에서 상위권을 차지할 거라 생각했지만.

성지한을 보면 볼수록, 이러한 확신이 점점 사라지고 있었다.

지금 당장이야 그는 실버에 불과하지만.

'1년이 지난다면?'

그때도 그가 실버겠는가?

다이아에 올라서, 국가대표에 뽑혀서.

일본의 발목을 잡는 최악의 플레이어로 성장하겠지.

1년 후의 성지한을…….

검왕이 쉽게 제압할 수 있을까?

주은지는 섣불리 자신할 수 없었다.

'이 작은 반도에서 어떻게 이런 대단한 플레이어들이

나오는지는 모르겠지만…….'

같은 동아시아 리그의 경쟁국을 확실히 짓밟기 위해서
라도, 성지한은 무조건 일본 소속으로 전향시켜야 한다.

그것이 나라를 위한 길이고, 고향 땅의 모두를 위한 길
이었다.

"오늘 훈련은 이걸로 끝입니다."

"아. 오너님~! 벌써 끝이세요?"

−에이. 너무 싱겁다…… 지한이홍 수련을 제일 기대했
는데.

−아니 저 완벽한 컨트롤을 보고도 왜 이렇게 불만임?

−ㄹㅇ; 더 퍼스트 좀 고만 나대라.

−흨흨,,, 뭐 눈엔 뭐만 보인다더니,,,

−할배 챗 좀 하지 말라니까?? ――

채팅에서는 성지한이 훈련한 영상을 보고, 너무 싱겁다
며 불만이 일어나고 있었지만.

그건 그저 일반인의 시선일 뿐이다.

저 훈련에 숨겨진 진면목을 파악한 주은지는, 특별한
결심을 했다.

'……지금은, 이걸 사용할 때야.'

그녀는 오른손으로는 캠을 든 채, 왼손으로는 다이어리
를 펼쳤다.

그리고.

[주인.]

검 상태의 아리엘이, 성지한에게만 들리도록 말을 걸었다.

[저기에, 아카식 페이지가 있다.]

* * *

아카식 페이지.

현대에서는 기술 발전을 위해 쓰이지만, 아리엘의 말에 따르면 서포팅 기프트를 강화시켜 준다는 기물.

이 물건은 기업들이 구해지 못해서 안달이었기에, 가격이 어마어마했다.

'완성된 아카식 페이지는 수천억의 가치를 지닌다고 들었는데.'

아카식 페이지를 만들기 위해 필요한 아카샤의 조각은 플래티넘 리그에서부터 확률적으로 얻을 수 있었는데.

최소 가격이 100억이었던지라, 플레이어들에게는 로또보다도 더한 취급을 받았다.

그런 아카샤의 조각을 25개나 모아서 조합해야 만들 수 있는 아카식 페이지를, 그런 비싸디비싼 물건을 일개 영상 편집자가 가지고 있다고?

'수상하군.'

지금껏 주은지에 대한 인상은 그냥 평범한 여성, 그 이상도 그 이하도 아니었다.

사인을 할 때나, 마이크를 달아 줬을 때 정전기가 튀기는 했지만.

그거야 단순히 우연이라고만 생각했다.

'설마…… 아카식 페이지의 사용법을 알고 있는 건가.'

외계의 존재인 아리엘만 알고 있는 줄 알았더니, 지구에서도 아는 이가 있었던가.

그렇다면 눈앞의 주은지는, 평범한 일반인이 아니라 서포팅 기프트를 가지고 있는 플레이어란 뜻인데.

[주인. 제압할까? 아니면, 두고 보겠는가.]

[무슨 짓을 할지, 잠시 지켜보지.]

주은지가 무슨 짓을 할지 모르니 위험 부담이 조금 있을지는 모르겠지만.

그래도 성지한은 그녀가 수상하다는 걸 알게 된 이상, 대처할 자신이 있었다.

[알겠다. 혹 무슨 일이 일어나면 저 다이어리를 불태우겠다. 이미 아카식 페이지는 사용되어서 사라지고 있는 상태지만, 그래도 흔적을 태우면 권능 증폭이 약해질 테니까.]

성지한이 아리엘의 충고에 미미하게 고개를 끄덕이고 있을 때.

스르륵―

다이어리를 잠시 펼쳤다 닫은 주은지는 당황한 얼굴로
성지한에게 다가왔다.

"아! 저, 오너님. 마이크 세팅 좀 다시 해야 할 것 같은
데요……."

자꾸, 밀착하려고 하는군.

서포팅 기프트를 사용하기 위해서는, 접촉이 필요한
건가?

"네. 알겠습니다."

겉으로는 태연한 척을 했지만.

성지한은 주은지가 어떤 방법을 사용할지 예의주시했
다.

저벅. 저벅.

주은지가 다가와서, 성지한의 옷을 향해 손을 뻗자.

지직—

[사용자의 시스템에 은밀히 접근하는 움직임을 감지합
니다…….]

[사용자의 시스템에 플레이어 '이토 시즈루'의 분신이
편집을 시도합니다.]

성지한의 눈에, 시스템 메시지가 올라왔다.

'이토…… 시즈루?'

이토.

한국인들에게 이 성을 듣고, 누가 떠오르냐고 물어본다면.

일 년 전만 해도 대부분의 사람들은 이토 히로부미를 떠올렸다.

하지만 이제는 다르다.

검왕이 개명한 성, 이토 류헤이.

이토를 들으면, 검왕을 떠올리는 사람이 더 많았다.

근데.

주은지에게서 이토라는 성이 나오다니.

'설마…….'

[이토 시즈루의 분신이 사용자에게 상태이상 '매료'를 추가합니다. 매료의 대상은 이토 시즈루입니다.]

[이토 시즈루의 분신이 사용자에게 상태이상 '복종'을 추가합니다. 복종의 대상은 이토 시즈루입니다.]

[이토 시즈루의 분신이 사용자에게 상태이상 '광신'을 추가합니다. 광신의 대상은 이토 시즈루입니다.]

지금까지 접촉했을 때와는 달리.

성지한에게 매료, 복종, 광신이라는 상태이상이 추가 되었다.

"당신……."

"네?"

마이크를 달아 주던 주은지가 눈을 깜빡였다.

남들이 듣기에는 평범한 대꾸였지만.

성지한은 그녀의 목소리를 듣자마자, 온몸에 전율이 흐르는 것 같았다.

어떻게 사람의 입에서 이렇게 아름다운 소리가 나올 수 있지?

거기에 조금 전까지만 해도 평범하게 보였던 외모도 세상 그 누구보다⋯⋯.

"⋯⋯."

"성지한 님? 무슨 일이신지⋯⋯."

성지한은 주은지의 얼굴을 뚫어져라 쳐다보았다.

그의 눈에 비친 주은지의 얼굴은 영락없는 미의 여신과도 같았지만.

익히 아는 얼굴이기도 했기 때문이다.

이번 생에서 본 게 아닌, 전생에서.

'종말의 사도, 서큐버스 퀸.'

* * *

인류가 멸망하기 직전.

지구가 스페이스 리그에서 강등전에 진입할 때.

이에 대한 페널티로, 살아남은 20개의 나라에 각기 다른 종말의 사도가 나타난 적이 있었다.

20명의 종말의 사도 중, 성지한이 몸담고 있던 미국에 나타난 게 바로 서큐버스 퀸이었다.

로스 엔젤레스를 완전히 자신의 휘하에 넣고.

수많은 플레이어에게 광역으로 상태이상 매료를 뿌리던 최악의 몬스터.

미국 정부에서 결국 LA에 핵을 쏟아부어 서큐버스 퀸의 추종자들을 멸절시키고, 아메리칸 퍼스트가 모조리 나선 이후에야 그녀를 제압할 수 있었다.

그런데 지금 주은지에게서 서큐버스 퀸의 모습이 보이다니.

성지한은 상태창에 뜬 이토 시즈루라는 이름에서, 검왕을 떠올렸다.

한국에서 남부러울 것 없이 살고 있던 검왕이.

이 나라에서도 여러 여자와 만나면서 인생을 즐기던 그가 갑자기 한 일본 여성에 빠져서, 이토라고 성을 바꾸고 일본으로 떠난 이유가……

드디어 눈앞에 보이는 것 같았다.

'이토 시즈루. 그녀가 일본의 경국지색이었나. 윤세진이 당할 만하군…….'

아카식 페이지가 있다는 경고가 없었다면.

그래서 심적으로 미리 대비가 있지 않았다면, 이토 시즈루의 간계에 크게 낭패를 볼 뻔했다.

'그리고 저번에는 당하지 않았던 걸 이번에 이렇게 당한 건…….'

서포팅 기프트의 힘을 증폭시키는 아카식 페이지 탓이
겠지.

저 다이어리를 태우면, 당장 이 상태이상에서 벗어날
수 있을 것이다.

그리고 여기서 더 나아가, 아예 주은지를 없애 버린다
면 후환을 걱정할 필요는 없겠지만…….

마음에 걸리는 것이 있었다.

'분명히 시스템 메시지에서는 분신이라고 했다.'

여기서 성지한이 아카식 페이지를 불사르고, 주은지를
죽여도, 본체가 남아 있게 된다면 의미는 없다.

오히려 분신의 실패를 교훈 삼아, 본체가 또 다른 술수
를 부릴지도 모르는 일이다.

그렇다면…….

'적당히 넘어간 척을 해서, 이토 시즈루의 정보를 더 끌
어낸 이후. 본체를 없앤다.'

성지한은 그리 판단하며, 차분히 심신을 가라앉혔다.

적당히 넘어간 척을 하려면, 지금의 마음가짐으로는 안
된다.

상태이상 매료, 복종, 광신.

매료까지는 몰라도 복종과 광신은 남겨 둬서는 안 될
상태이상이었다.

성지한은 삼단전의 기운을 순환시켰다.

무명신공無名神功

심법心法

유심소조唯心所造

유심소조.

모든 것은 마음이 지어낸 것이라는 뜻으로.

무명신공에서는, 헛것에 의한 착시와 정신의 오염을 극복하는 심법으로 작용했다.

'복종과 광신은 제거한다.'

이 두 개는 남겨 두기에는 너무 해악이 크다.

성지한은 심법을 운용하여, 자신의 내부로 들어온 두 상태이상 효과를 제거했다.

들어온 걸 발견하지 못했으면 모르되, 이미 알고 있는 건 제거하기가 어렵지 않았다.

'매료는…… 조금 남긴다.'

매료까지 제거하면.

'적당히 넘어간 척'을 하기 힘들어지겠지.

성지한은 매료의 효과를 절반 정도를 덜어 냈다.

'LA에 나왔던 서큐버스 퀸을 제거할 때의 경험이 없었으면…… 이것도 쉽지 않았겠어.'

인류가 멸망하기 직전 나타난 보스 몬스터 중, 가장 성가셨던 서큐버스 퀸.

어찌 보면 종말의 괴수였던 베히모스보다도 더욱 까다

로웠다.

세계 랭킹 1위였던 배런이든 3위 소피아든, 죄다 서큐 버스 퀸의 매료에 현혹되어, 역으로 성지한을 공격하려고 들었으니까.

'무명신공의 심법으로 버티지 못했다면. 나도 그녀의 종이 되었겠지.'

성지한에게 무명신공이 없었다면, 미국은 베히모스 이전에 서큐버스 퀸에 의해 멸망했을지도 몰랐다.

'과거의 경험을 되살려야겠군.'

성지한은 매료에 당한 척, 서큐버스 퀸을 속이고 그녀의 심장에 검을 꽂아 넣었을 때를 돌이켰다.

'그건 그렇고…… 참 서큐버스 퀸과 비슷하게 생겼군.'

지금 보이는 주은지의 얼굴.

복종과 광신을 제거하고, 매료마저 반밖에 남기지 않으니, 여신 같았던 그녀의 미모는 순식간에 원래대로 돌아가고 있었지만…….

자신의 이상형을 그대로 보여 준다는 매료의 효과 때문일까.

좀 전에 언뜻 보았던 여신 모드의 주은지는, 서큐버스 퀸과 너무나도 똑같았다.

'이게 과연 우연의 일치일까?'

한편, 주은지는 의뭉스러운 눈길로 성지한을 올려다보고 있었다.

"오너님?"

그를 바라보는 표정은 순진무구했지만.

'다 안 됐어.'

속에는 냉철한 판단이 자리하고 있었다.

매료, 복종, 광신 3종 세트가 제대로 정착되었다면, 벌써부터 자신에게 구애를 했어야 정상이었다.

하지만.

"……아닙니다. 일단 진행하죠."

성지한은 그 정도의 반응을 보이지는 않았다.

대신 그는 주은지의 시선을 슬쩍 피했다.

영문을 모르겠다는 듯이, 고개를 갸웃하면서.

뺨은 혈기가 도는 듯, 슬쩍 붉어진 채로.

평소 그녀에게 별다른 감정이 보이지 않았을 때와 비교하면 꽤 다른 반응이었다.

분명 변화는 있지만, 주은지로서는 이게 만족스럽지는 않았다.

'……아카식 페이지까지 사용했는데, 다 걸리지 않았다고?'

아무리 분신의 권능을 강화한 거라지만.

아카식 페이지까지 사용했는데 이 정도 효과밖에 내질 못하다니…….

'일단 어느 정도 먹혀 들어간 것에 만족해야 하나…….'

그래도 확실히, 매료는 어느 정도 정착한 것 같았다.

방송 카메라가 있기 때문인지, 성지한은 별로 티를 내려고 하지 않았지만.

매료를 많이 사용해 본 주은지는 확실히 그의 변화를 눈치챌 수 있었다.

내가 왜 이러지?

하면서 납득을 하지 못하면서도, 힐끔힐끔 주은지를 바라보는 성지한.

조금 전과는 달리, 기이한 열기가 깃든 채 캠을 들고 있는 주은지를 바라보는 것이 매료가 들어간 증거였다.

'그래, 일단 들어간 게 어디야.'

검왕 때만 해도, 처음엔 물꼬를 트는 게 쉽지는 않았다.

여러 방식으로 접촉을 한 이후에야 매료를 걸 수 있었지.

하지만 한 번 걸리고 나서부턴, 검왕은 이토 시즈루의 손아귀에서 벗어나질 못했다.

'성지한. 너도 곧 그렇게 될 거야.'

비록 투자한 것에 비해 효과가 덜했다는 게 아쉽기는 했지만.

그게 어디인가.

오히려 실버밖에 안 되는 성지한이 저만큼 버텨 낸 것만 해도, 그가 대단한 가치를 지닌 플레이어라는 걸 반증하는 거니까.

그리고, 촬영이 끝난 후.

자리를 정리하고 있는 와중, 성지한이 주은지 쪽으로
다가왔다.

"주은지 씨…… 라고 하셨나요."

"네. 오너님."

"편집 관련해서 연락을 좀 할 게 있는데, 연락처 좀 알
려 주십시오."

편집을 위해서, 연락처를 교환한다.

명분 자체야 그럴 법했다.

하지만.

'여태까지 봐 온 성지한은 그럴 사람이 아니지.'

편집 관련해서 이야기할 게 있으면, 그냥 길드 직통 전
화로 연결을 해서 연락을 하지, 개인적인 전화번호를 얻
을 사람은 아니다.

그런데도 이렇게, 초롱초롱한 눈으로.

살짝 안절부절못하면서 번호를 달라고 하는 건.

'후후…… 역시 너도 내 매료를 이겨 낼 순 없을 테지.'

비록 완전한 복종까진 얻어 내진 못했지만.

아카식 페이지를 투자한 보람이 있다고 생각하며, 주은
지는 환하게 웃음 지었다.

"아. 네! 오너님. 번호 찍어 드릴게요~"

그리고 2일 후.

[오너님~ 저, 혹시 오늘 시간 괜찮으실까요?]

먼저 연락한 쪽은, 주은지였다.

* * *

처음에는 나름의 성공을 거뒀다며 자축하던 주은지는 시간이 지날수록 초조한 기분이 들었다.

'왜 연락이 안 오지?'

매료에 걸렸으면, 당연히 그쪽에서 먼저 연락을 걸어야 정상이다.

지금껏 매료에 제대로 걸린 이들 중, 안 그런 경우는 한 번도 없었다.

검왕 역시 매료를 걸기까지의 과정이 힘들었지, 걸고 난 이후부터는 일사천리로 일이 진행됐는데…….

"설마 매료가 약해졌나……?"

이틀 동안 상대방 쪽에서 먼저 연락이 오지 않았다는 사실로, 주은지는 거의 확신에 가까운 추측을 할 수 있었다.

특히 그중 젊은 남자는 연락을 하지 못해 안달이었다.

대기 길드에서 잠깐 매료를 걸었던 배런 같은 경우는.

어떻게 자신의 연락처를 알았는지 미국에서 장문의 영어 문자를 보내올 정도였으니까.

근데 문자도 오지 않는다?

이건, 매료 효과가 거의 사라졌다는 뜻으로밖에는 판단

되지 않았다.

'하…… 까다롭네.'

주은지는 입술을 깨물었다.

혹 매료 자체가 풀린 거라면, 정말 성가신 상대다.

그 비싼 아카식 페이지까지 사용했는데 결과가 이렇게
된 거라면.

성지한을 확실하게 꼬드길 수 있는 건, 본체밖에 없었
다.

'그런데 검왕 때문에, 본체가 올 수는 없단 말이야…….'

검왕에게 상태이상 '복종'과 '광신'이 걸려 있었다면, 며
칠 정도는 자리를 비워도 되었을 것이다.

하지만, 복종과 광신은 검왕이 지닌 쌍검의 효과 때문
에 먹히질 않아서.

그 대신 '집착'과 '의존'을 넣었기 때문에 본체는 검왕의
곁을 함부로 떠나질 못했다.

떠나면 검왕과의 관계가 급격하게 나빠지니까.

'그래도 어떻게 도쿄까지만 데려가면 할 만한데.'

검왕과 몇 시간 떨어지는 정도까진 괜찮았으니까.

'이번에는, 좀 무리를 해서라도 여러 개를 사용해 볼
까.'

주은지는 다케다를 떠올렸다.

그도 나름, 서포팅 기프트 중 쓸 만한 것을 가지고 있
었지.

그도 아카식 페이지를 사용하게 하면, 성지한에게 나름
먹힐 것이다.

'스스로 매료를 풀 정도면, 장기전은 하면 안 돼. 단기
전으로 승부를 봐야 해.'

매료 전문가답게 상황을 파악해 낸 주은지는 성지한의
연락처로 문자를 보냈다.

[오너님~ 저, 혹시 오늘 시간 괜찮으실까요?]

이번에 준비한 무기는 무려 아카식 페이지 세 장.

'하. 1000억 엔이 넘게 들었네……'

아무리 일본 정·재계에서 암암리에 여신으로 불리며,
막후의 지배자로 확고히 자리를 잡고 있는 이토 시즈루
였지만.

그녀로서도 아카식 페이지를 네 장이나 사용하는 건 상
당한 출혈이었다.

"성지한…… 넌 월급도 없다."

본전 뽑을 때까지, 하루 한 끼만 먹이면서 굴려야지.

주은지는 이를 갈았다.

* * *

소드 팰리스의 펜트하우스, 트레이닝 룸.

"와, 삼촌. 이거 봐 봐."

힘든 훈련을 마친 후, 윤세아는 스마트폰으로 편집된 자신의 영상을 보며 깔깔댔다.

[체력 +7의 비결은 과연…… 윤세아의 스탯 상승을 집중 취재하다!]

잔여 포인트 투자 없이, 오로지 훈련으로만 체력 +7을 찍은 윤세아.

조회 수 자체는 성지한의 훈련 영상이 가장 높았지만.

윤세아가 트레이닝을 하는 영상은, 이번에 길드 채널에 업로드 된 영상 중 가장 큰 화제가 되었다.

"와…… 나 진짜 못생겼네! 왜 이야기 안 해 줬어?"

데드 리프트를 하면서 오만상을 찌푸리는 윤세아의 얼굴이 영상에서 적나라하게 드러나자.

윤세아는 그걸 보면서 웃어 대기 바빴다.

"찍기 전에 이야기해 줬잖아. 너 진짜 운동할 땐 얼굴 망가진다고."

"헤헤…… 이 정도인 줄은 몰랐지~ 진짜 심하다 심해."

말로는 싫다고 하지만.

윤세아는 이 상황을 즐기고 있었다.

"그래도 이렇게 망가지니까, 우호적인 댓글이 많아졌네."

지금까지는 윤세아에 대해 악플이 많은 편이었지만.

구경하는 사람이 학을 뗄 정도로, 미친 트레이닝을 하는 모습을 보여 주고.

거기에 이 짧은 시간 동안 이뤄 낸 성과를 증명하고 나니, 대중들의 시선은 생각한 것보다 더 호의적으로 변해 있었다.

그러니 윤세아가 이렇게 기분 좋은 웃음을 짓고 있는 것이었다.

"삼촌, 근데 나. 클래스 뭐 할까?"

그렇게 한참을 영상 댓글을 바라보던 윤세아는 자기 직업에 관한 댓글을 봤는지 성지한에게 질문을 던졌다.

"생각해 둔 게 있어?"

"워리어나 아처 쪽으로 생각하고 있었는데…….."

"그거 두 개는 왜?"

"워리어는 뭐 이토 때문이었고. 아처는 내가 아카데미에서 이런저런 훈련을 해 봤는데…… 은근히 뭘 잘 맞추는 재능이 있더라고."

윤세아는 활 쏘는 포즈를 취하며 헤 하고 웃었다.

"근데 아처는 우리나라 국가대표 풀이 워낙 쩔잖아? 그래서 아처로 전직하면 일본으로 귀화하신 이토 놈에게 한 방 먹이기는 힘들 거 같단 말이야."

워낙 한국이 양궁 실력으로 유명했기 때문일까.

한국의 아처 클래스 플레이어 중, 최고의 기프트 등급

을 가진 이는 S급밖에 없었지만.

베이스가 되는 사격 실력이 워낙 뛰어나서, 한국의 아처 전력은 탄탄한 것으로 알려져 있었다.

"그럼 워리어 하면 되겠네. 워리어 국가대표 풀은 좀 널널하긴 하잖아?"

"그건 그런데."

윤세아는 성지한을 힐끗 바라보곤 작게 투덜거렸다.

"워리어로 전직하면, 삼촌을 못 이길 거 같단 말이야. 최고는 못 될 거 같아."

"하핫……."

그 말을 들은 성지한이 너털웃음을 흘렸다.

"아처를 하면 국가대표로 선출되는 과정이 힘들겠지만. 워리어를 하면 최고가 되기 힘들겠단 이야기구나."

"그래. 누구 삼촌이 괴물같이 강해서 말야!"

성지한은 기특하다는 듯 윤세아를 바라보았다.

누가 들으면 브론즈 주제에 벌써 국가대표 선발 걱정에, 최강의 플레이어가 될지 안 될지를 염려하냐고.

김칫국 너무 심하게 마시는 거 아니냐고 할 수도 있었지만.

'대기만성을 가진 세아라면 충분히 말할 자격이 있지.'

저번 생에서도 대기만성을 지닌 중국의 진유화가 순식간에 세계 랭킹 2위가 되지 않았던가.

윤세아라고 못할 게 없었다.

아니. 진유화보다 오히려 빠르게 각성했으니, 그녀보다 더 성장할 시간은 많겠지.

워리어든 아처든, 뭘 하든 최강을 노릴 수 있을 것이다.

성지한은 조카가 확고한 목표를 가지게 된 게 매우 기특했지만.

기특한 건 기특한 거고.

"그 판단…… 아주 정확해."

팩트는 그대로 전달해야 했다.

"세아야. 내가 있는 이상, 결국 넌 워리어로서는 최고가 될 수는 없어. 대한민국 사상, 아니 지구 최고의 워리어는 내가 될 거거든."

"와…… 재수 없어."

"사실인 걸 어쩌겠니."

가족일수록, 팩트는 가감 없이 전달해야 하지 않겠는가.

성지한은 어깨를 으쓱하며, 윤세아에게 조언했다.

"네가 한 클래스의 최강을 노린다면, 나는 아처를 추천한다."

"워리어는 삼촌이 최고가 될 테니까?"

"응. 난 정상에서 안 내려올 거거든."

성지한은 확실하게 단언했다.

워리어 클래스의 성지한은, 결국 지구 최고가 될 거라고.

물론, 이건 단순히 근거 없는 자만이 아니었다.

'포스가 없을 때도, 난 최강이었으니까.'

저번 생에, 무력만 지니고 있을 때도 성지한은 최강의 워리어였다.

유력한 경쟁자들이 있긴 했지만.

전대 최강의 워리어였던 검왕은 행방불명되어 사라졌고.

그 후에 나타났던 워리어들은 모두 성지한에게 랭킹을 추월당하거나, 죽어 사라졌다.

'거기에 중국의 진유화도 아처였지.'

대기만성 기프트를 지닌 진유화.

그녀는 아처 클래스로 세계 랭킹 2위까지 올라섰다.

대기만성이라는 기프트가 사실 클래스를 따질 것 같지는 않았지만.

어쨌든 전생의 경험이 있기에, 성지한은 최고를 노리려면 아처가 되라고 충고했다.

"알았어. 나도 사실 어느 정도 아처 쪽에 마음이 있었거든. 근데 삼촌이 위에서 안 내려올 거라고 확실히 이야기해 주니까 이제 결심이 서네."

"아처로?"

"응. 이왕 하는 거 최고를 노려야지."

고민을 끝낸 윤세아는 클래스를 아처로 선택했다.

"자. 그럼 그만 쉬고, 다시 웨이트 들어갈까?"

"어…… 근데 이제 아처 되는 거면 이런 무식한 훈련은 좀……."

"무식한 훈련이라니? 궁수야말로 근력이 필수야. 거기에 아직 체력도 근성으로 안 바뀌었잖아."

지금 윤세아의 체력은 +7 상태.

+10까지 3밖에 남지 않았으니, 지금 더 가열차게 훈련을 진행해야 할 때였다.

"으으. 악마……."

"극찬 고맙다."

툭. 툭.

성지한은 플레이트를 둥둥 띄워, 바벨 양쪽에 꽂아 넣었다.

조금 전보다 10킬로씩 무게가 추가되자, 윤세아는 한숨을 푹 쉬며 일어났다.

아처를 한다고 해도 이 지옥같은 훈련은 끝이 없구나.

부우우웅─

그때.

트레이닝 룸 한편에 놔두었던 스마트폰에서 진동이 울렸다.

[오너님~ 저, 혹시 오늘 시간 괜찮으실까요?]

성지한이 매료에 걸린 척한 지 2일 만에, 주은지에게서 문자가 온 것이다.

성지한은 그 문자를 보고 아차했다는 생각이 들었다.

'이거…… 내가 먼저 보냈어야 했나?'

매료에 걸린 건 자신이니까, 상대방에게 반해 있는 모습을 이쪽에서 보여 줘야 했는데.

번호는 이쪽에서 따 놓고, 저쪽에서 먼저 연락하게 만들다니.

'이런…… 이렇게 살아오질 않아서 깜빡했군.'

저번 생을 포함해서, 성지한은 이성에게 먼저 연락을 해 본 적이 없었기 때문이다.

정작 눈앞에선 매료에 걸린 연기를 잘해 놓고, 후속 조치가 미흡했다.

한숨을 쉰 성지한은 이를 수습하기 위해 조카에게 도움을 요청했다.

"세아야. 나 남녀 관계에 대해서 물어볼 게 있는데."

"남녀 관계? 그건 고등학교 갓 그만둔 나보다 삼촌이 더 잘 알지 않을까? 뭐랬더라…… 여심 마스터라며."

"그 마스터의 촉 때문에 망했다는 생각이 들어서 말이야. 자…… 내가 예시를 들어 줄게."

성지한은 주은지의 문자를 보며, 현재의 상황을 담담하게 말했다.

"남자는 여자한테 반해 있어. 완전히."

"응."

"근데 남자가 먼저 연락을 안 해."

"응."

"그래서 여자가 답답해서 먼저 연락을 해 왔어. 그럼 누가 더 급한 걸까?"

성지한의 물음에, 윤세아는 어이없다는 얼굴로 반문했다.

"그거 혹시 남녀가 바뀐 건 아니지?"

"아니야."

"그러면 당연히…… 먼저 연락한 쪽이 급한 거 아니야? 여자가 먼저 연락했으니. 그쪽에서 급한 거지."

"역시 그렇겠지?"

"근데 남자가 반한 거 맞아? 반했으면 당연히 먼저 연락을 할 텐데? 나도 예전에 아카데미 입학했을 때, 핸드폰에서 불나는 줄 알았어."

"왜?"

"선배들이 하도 연락해 왔거든. 나중에 아빠가 누군지 소문이 나고는 잠잠해졌지만."

윤세아가 턱을 치켜세우며 자기가 입학 때 인기 폭발했었단 이야기를 하자.

성지한은 자신의 잘못을 깨달았다.

'이 녀석이 알 정도면, 주은지 쪽은 이니 눈치를 챘겠군……'

매료 전문가인 그녀가, 이상을 눈치채지 못할 리가 없을 터.

'저쪽에서 함정을 파 둘지도 모르겠군.'

성지한은 그리 생각하면서, 문자를 보냈다.

[네. 시간 괜찮습니다. 오늘 볼까요?]

* * *

소드 팰리스 옆 건물, 4층에 위치한 한 카페.

카페가 위치한 건물은 신 자위대 일본무역상사 한국지부 사무실이 있는 곳으로.

사실 이곳은 신 자위대에서 예전에 검왕 윤세진을 유혹할 때를 대비해 미리 설계해 두었던 장소였다.

계약 기간이 남아 있어서, 아직까지 유지하고 있었던 이 카페는.

이제는 성지한을 확실히 잡아 두기 위해, 오랜만에 다시 문을 열게 되었다.

"여신님…… 너무 급하게 추진하는 것 아닐까요?"

카페의 안쪽에 마련된 프라이빗 룸에서, 다케다는 땀을 닦으며 말했다.

그의 손에는, 금빛으로 빛나는 A4 용지 크기의 종이가 들려 있었다.

'아카식 페이지에 서포팅 기프트를 강화하는 기능이 있었다니…….'

대기업들의 기술 발전에 쓰여서, 수천억을 호가하는 아
카식 페이지에 이런 기능이 있을 줄이야.

사실 여신님 정도가 아니고서야, 수천억으로 서포팅 기
프트 따위를 강화하느니 기술 발전을 꾀하는 게 더 낫긴
했지만.

그래도 다케다는 세상에 알려지지 않은 비밀 하나를 알
게 된 것 같아, 괜히 긴장되었다.

"어쩔 수 없어. 성지한 그놈…… 매료가 거의 풀린 거
같단 말이야."

"검왕도 저항하지 못한 여신님의 매료가 풀리다니! 이
다케다는 도저히 믿기지가 않습니다."

"분신이라 권능의 힘이 약하거든. 아카식 페이지를 썼
는데도 제대로 안 먹혔어."

"저번에는 성공했다고 말씀하시지 않으셨습니까……?"

"아냐. 실패했어. 이틀이나 연락이 안 왔단 말이야. 내
가 먼저 문자를 보냈다고."

"……."

주은지는 이를 갈며 말했다.

다케다로선 겨우 이틀 가지고 설마 하는 생각이 들었지
만, 주은지에게 있어선 절대 있어서는 안 되는 상황이었
다.

매료가 먹혔든 이래 단 한 번도 없었던 일이 일어났으
니까.

'거기에 만나겠다는 문자도 영 성의가 없어.'

[네. 시간 괜찮습니다. 오늘 볼까요?]

매료에 빠진 20대 남자의 문자라고 하기에는 너무나도 건조한 말투.

제대로 매료가 작동했으면 이런 식으로 답장이 오지는 않았을 것이다.

'이번에 승부를 봐야 해.'

큰돈을 써서라도, 아카식 페이지 여러 장을 사용해서 확실히 매료를 시킨 후.

지체하지 말고, 일본으로 데리고 가야 했다.

"아카리."

주은지가 뒤쪽으로 시선을 힐끗 돌리며, 한 사람의 이름을 부르자.

"네. 시즈루 님."

주은지의 그림자에서, 전신을 다 가린 닌자복 차림의 여인이 튀어나왔다.

다케다는 그 모습을 보며, 두 눈을 크게 떴다.

'아카리 님까지 오시다니.'

가토 아카리.

일본의 다이아리거 중, 아처의 특수 클래스인 '암살자'로 전직한 여성 플레이어였다.

다이아 중에서는 레벨이 낮아 국가대표로 선발되지는 않았지만, 암살자 특유의 은밀한 기동성으로 인해 오히려 현실에서 활약할 일이 많았다.

이토 시즈루는 예전부터 닌자로 활동해 오던 가토 아카리의 가능성을 눈여겨보고, 권능을 사용해 자신의 측근으로 만들었고.

그 이후 가토 아카리는 이토 시즈루의 오른팔로 활동하며, 은밀한 일을 대신 처리해 주고 있었다.

"너까지 올 정도라니. 본체의 의지가 대단하네."

"네. 도쿄의 시즈루 님께서는 저에게 아카식 페이지의 호송을 맡기셨습니다. 거기에, 만에 하나 일이 그르쳤을 때를 대비하여, 저에게 성지한을 납치하라 하셨습니다."

"납치라니…… 그게 쉽지는 않을 텐데."

"상대는 강해 봤자 실버. 배편도 인천항에 준비해 두었습니다."

아카리는 그러면서 꺼내든 아카식 페이지를 바라보았다.

"개인적인 의견으로는, 그 물건을 사용하느니 제 힘으로 납치하는 것이 나을 것 같습니다만."

"아냐. 괜히 충돌 과정에서 성지한이 격렬히 저항이라도 하면, 일본에 가기도 전에 계획이 알려질 위험이 있어. 골치 아파지기 전에 은밀히 끝내는 게 나아."

"알겠습니다. 그럼 저는 혹여나 일이 그르쳤을 때를 대비하겠습니다."

주은지는 아카리의 말에 고개를 끄덕였다.

아카식 페이지를 다발로 쓰고도 실패하면, 그때는 어쩔
수 없겠지.

'게다가 매료를 확실히 성공하지 못해도…… 저항을 억
제할 순 있을 거야.'

그렇게 해서 일본에만 데리고 가면, 끝이다.

본체의 매혹은 절대로 견디지 못할 테니까.

딸랑–

카페의 문이 열리는 소리가 들리자, 주은지는 다케다와
아카리에게 눈짓했다.

그러자 다케다는 황급히 프라이빗 룸의 뒤쪽 벽면에 숨
었고.

아카리는 다시 시즈루의 그림자 안으로 스며들었다.

"어머~ 오너님. 오셨어요?"

그리고 주은지는 조금 전과는 달리, 간드러지는 목소리
로 성지한을 맞이했다.

"좋은 곳을 예약하셨군요."

드르르륵–

성지한이 태연히 걸어오며 의자를 끌어 자리에 앉자마자.

주은지는 즉시 힐 굽으로 바닥을 두 번 툭툭 쳤다.

두 번 바닥을 치는 건, 다케다와 미리 약속되어 있던
신호.

'여신님만 믿습니다……!'

다케다가 숨어 있는 벽면에서 나서려 하자.

우우우웅-

주은지가 테이블 위에 두었던 스마트폰이 작게 진동했다.

'응……?'

스마트폰에서는.

['성지한'이 배틀튜브에서 생방송을 시작했습니다!]

이라는 메시지가 뜨고 있었다.

* * *

주은지가 알려 준 카페로 가던 성지한은 깊은 고민에 빠졌다.

'계속 반한 연기를 하는 건, 아무래도 내 전공이 아니라 힘들겠어.'

주은지의 눈앞에서야, 매료에 당한 척을 할 수는 있었지만.

이걸 길게 끌고 가는 건, 문자 건만 보더라도 불가능했다.

제대로 연기를 하지 못할 바에야.

오히려 분신이라도 빨리 제거하는 게 낫지 않을까?

괜히 매료가 걸리지 않았다는 티를 내기라도 한다면, 이토 시즈루의 마수가 세아를 비롯한 주변인에게 뻗쳐질 수도 있었다.

'하지만 분신을 제거하는 것도 문제가 된다. 저쪽에서 또 어떤 방식으로든 잠입해 올 터…….'

한참 고민에 빠진 성지한이 옆 건물에 들어서자.

"어. 성지한이다……!"

"여긴 무슨 일이지?"

건물 안에 있던 사람들이 성지한을 보고는 웅성거리기 시작했다.

"와…… 실물이 더 빛나는데?"

"성지한 님! 사인 부탁드려요!"

"저어…… 사진 좀 같이 찍어도 될까요?"

거기서 더 나아가, 몇몇 팬들은 성지한을 향해 다가와 사인과 사진 촬영을 요청했다.

'알아보는 사람이 많네. 이젠 얼굴을 가리고 다녀야 하나.'

맨날 집에만 있어서 자신의 인기를 오프라인에서 체감하지 못했던 성지한은 살짝 놀랐지만.

"네. 괜찮습니다. 이리 오세요."

입가에 슬쩍 미소를 짓고는, 사람들에게 친절히 대답해 주었다.

아메리칸 퍼스트 시절, 지겹도록 해 왔던 팬 서비스를 이번 생에서 처음으로 해 보는 성지한이었다.

"지한 님! 배틀튜브 잘 보고 있어요! 저희 엄마 아빠도 다 같이 밤 12시 라방 시간만 기다리면서 같이 보고 있어요!"

"감사합니다."

"아. 빨리 구독자 100만 되어야 하는데, 궁금해 죽겠어요. 저한테만 상태창 보여 주시면 안 돼요?"

"하하, 그건 안 될 말씀이죠. 조금만 기다려 주세요. 금방 찰 거 같으니까."

"와, 실물 깡패시네⋯⋯."

"음~ 방송 땐 못나게 나왔나요?"

성지한이 씩 웃으며 물어보자 여성 팬이 금세 뺨을 붉혔다.

"아뇨. 바, 방송 때도 멋져요!"

"감사합니다. 알면서 물어봤어요."

성지한은 그렇게 팬들을 조련했다.

'생각보다 나에 대한 관심이 많군.'

이미 온라인상에서의 성지한은 슈퍼스타나 다름없었지만.

집에서 게임과 수련만 반복하는 그로서는 인기를 크게 체감할 일이 별로 없었다.

비록 구독자도 많이 늘어나긴 했다지만, 아메리칸 퍼

스트에 소속되었을 당시에 누렸던 인기와 관심에 비하면 이 정도는 새발의 피 수준이어서.

성지한은 자신의 위상을 과소평가하고 있었다.

'이 정도로 내가 여론의 관심을 받고 있다면…… 이번 일을 아예 공론화를 시키는 게 낫겠어.'

이토 시즈루의 분신이 행하는 공작을, 아예 생중계해서 보여 주자.

성지한은 자신에게 쏟아지는 관심을 체감하고, 아예 대응 방향을 그쪽으로 틀었다.

"여러분. 아쉽지만 이만 가 보겠습니다. 이제 곧 라이브 방송을 해야 해서요."

"어…… 정말요?"

"오늘도 광고 찍으시는 건가요?"

"광고는 아니고요. 그거보다 더 재밌는 겁니다."

성지한은 그렇게 팬 서비스를 끝내며, 배틀 마켓에서 아이템을 샀다.

[1인칭 시점 공유 티켓]

-사용자의 시점을 영상으로 공유하여, 배틀튜브에 중계할 수 있는 아이템입니다.

-1회성 아이템이며, 티켓 1개당 제한 시간은 30분입니다.

배틀넷에서는 게임 참가자에게 기본적으로 지원해 주

는 1인칭 뷰.

 '1인칭 시점 공유 티켓'은, 이걸 현실 세계에서 가능케 해 주는 아이템이었다.

 티켓 가격이 1만 GP나 되어 잘 쓰이지는 않았지만, 지금 카메라를 들고 갈 수 없는 성지한으로서는 최적의 아이템이었다.

 '거기에 시점 공유는 카메라와는 다른 장점이 있지.'

 성지한이 매료를 당하면, 그의 시점에서 비춰지는 주은지의 외모 변화를 모든 시청자들이 공유할 수 있게 된다.

 그렇게 된다면 주은지의 위험성에 대해 모든 사람들이 알게 될 터.

 "어머~ 오너님. 오셨어요?"

 카페의 룸 안에 들어선 성지한을 주은지가 맞이하고.

 툭. 툭.

 그녀가 힐굽으로 바닥을 두 번 두드리자.

 '지금이군.'

 성지한은 바로 시점 공유 티켓을 사용한 후, 배틀튜브 방송을 켰다.

 ─오, 갑자기 라방?

 ─엥? 오늘 게임 끝난 거 아니었음?

 ─ㅇㅇ 12시 땡치고 게임 끝냈을 텐데?

대낮에 예고도 없이 방송을 켰음에도, 성지한의 채널엔 시청자들이 물밀 듯이 들어오기 시작했다.

-오잉. 이거 성지한 시점인가?
-공유 티켓 쓴 거임? 천만 원짜리?
-그런듯. 근데 갑자기 돈지랄 티켓 쓰누;

한편 주은지의 얼굴은.
스마트폰에서 성지한이 생방송을 진행했다는 메시지가 떴을 때부터 차갑게 굳어 있었다.
"당신. 매료에 걸리지 않았군요."
"걸린 척하려고 했는데. 문자 보내는 걸 깜빡해 버렸어. 이토 시즈루."
"……어머. 이토 시즈루가 누군가요? 전 주은지랍니다."
성지한의 말에, 표정 하나 변하지 않고 그리 말한 그녀는.
뒤편을 슬쩍 바라보았다.
"다케다. 시작해."
"네!"
그러자 벽면에서 갑작스럽게 튀어나온 다케다.
그는 손에 황금색으로 빛나는 종이를 들고 있었다.

-에. 다케다……?

-니가 왜 여기서 나와?

-어. 저 종이 저거…….

-아카식 페이지 아님?

다케다는 아카식 페이지를 꽉 쥐며, 성지한을 보며 크게 소리쳤다.

"성 상! 저와 감정을…… '교류'하시죠!"

서포팅 기프트, '교류'.

다케다가 신 자위대의 영입부장으로 활동하면서, 수많은 플레이어들을 낚았던 그만의 재능.

다케다는 자신이 여신이라고 부르는 이토 시즈루를 보았을 때의 그 황홀한 감정을, 대상과 '교류'할 수 있었다.

번쩍-!

아카식 페이지가 빛나며, 다케다의 기프트를 강화시키려 할 때.

"내놔."

성지한이 손을 뻗자, 아카식 페이지가 다케다의 손에서 빠져나와 성지한에게로 날아갔다.

"어. 어?"

수천억짜리 아카식 페이지가, 포스로 인해 허무하게 성지한의 손아귀에 들어가 버릴 상황.

하나 그 순간.

스으으윽-

주은지의 그림자에서, 닌자 모습을 한 여인이 나타나 날아가는 아카식 페이지를 낚아챘다.

[다케다. 아카식 페이지는 미리 쓰라고 했을 텐데.]

그리고 여닌자의 입에서 일본어가 튀어나오자.

-어…… 닌자? 찐본어……?

-뭐라 한 거임??

-다케다한테 아카식 페이지는 미리 쓰라고 타박 줌.

-……이거 대체 무슨 상황야?

시청자들은 지금 켜진 라이브 방송이 심상치 않다는 것을 느꼈다.

5장

5장

'성지한…… 배틀튜브 방송을 진행하다니.'

주은지는 미간을 찌푸렸다.

이로써 확실해졌다.

성지한은 지금껏 매료에 걸린 척을 했을 뿐, 실제로는 걸리지 않았던 것이다.

'시간을 오래 끌 수는 없어.'

한국 정부도 바보는 아니다.

이렇게 생방송이 버젓이 나가는 판국에, 성지한이 강남 한복판에서 납치당하는 꼴을 보고 있지만은 않을 것이다.

여기서 시간이 지체되면, 곤란해지는 것은 자신들이다.

지금 상황에서는 빠르게 일을 처리해야 했다.

"성지한 씨. 당신은 참으로 골치 아픈 사람이군요."

주은지는 자리에서 일어났다.

자신의 서포팅 기프트.

'편집'을 사용하기 위해선, 두 가지의 방법이 있었다.

첫 번째는 접촉.

살갗이 닿으면, 굳이 말을 하지 않아도 상대를 편집할 수 있다.

지금까지 성지한에게 몇 번이고 시도했던 방법이 바로 이 접촉이었다.

그리고 지금처럼 상대가 경계하고 있을 때에는.

접촉 대신, 다른 방법이 있었다.

"플레이어 성지한. 당신을 '편집'하겠습니다."

우우우웅―

테이블의 중심부와, 천장이 흔들리며 금빛이 번쩍였다.

다케다가 들었던 것과는 또 다른, 미리 숨겨져 있었던 아카식 페이지 2장.

그것이 활용되며, 성지한에게 주은지의 '편집'이 가해졌다.

[이토 시즈루의 분신이 플레이어 성지한에게 상태이상 '매료'를 추가합니다. 매료의 대상은 이토 시즈루입니다.]

[이토 시즈루의 분신이 플레이어 성지한에게 상태이상

'복종'을 추가합니다. 복종의 대상은 이토 시즈루입니다.]

　시스템창에 떠오르는 메시지.
　이건, 성지한과 시점을 공유하는 시청자들도 모두 볼
수 있었다.

　-매료…… 복종?
　-이토 시즈루??
　-이토? 어 ㅅㅂ 설마?
　-어. 뭐, 뭐야. 저 여자 왜 이렇게 예뻐 보여?
　-와…… 씹…….
　-헤…… 헤으으으응……!!!

　상태이상 매료와 복종이 추가된 성지한의 시야에서는,
주은지가 세상에 다시 없을 여신으로 보였다.
　'저번보다 강하군.'
　저번에는 아카식 페이지 한 개를 써서 매료, 복종, 광
신 세 가지 상태이상을 사용했다면.
　이번에는 두 개를 매료와 복종에 집중했으니, 성지한에
게 가해지는 부담은 저번보다 훨씬 심했다.
　'하지만 이럴 줄 알고 있었던 이상, 소용없는 일이다.'

　무명신공無名神功

심법心法

유심소조唯心所造

성지한은 아름답게 변한 주은지를 눈앞에 두고도, 전혀 동요하지 않은 채 심법을 운용했다.

주은지가 아무리 아카식 페이지를 사용해서 매료를 시도했다고 한들, 그녀의 권능이 서큐버스 퀸에 비할 바는 아니었다.

미리 그녀를 경계한 이상, 이 정도는 이겨 낼 수 있었다.

-헤으으…… 으응???
-뭐야! 존예녀 어디 갔어!!
-아 다시 돌려줘요!!
-나 무릎 꿇으면서 봤는데ㅋㅋㅋ 이건 또 뭐냐?
-세상…… 세상에 어떻게 그렇게 생긴 사람이 있지?
-아 성지한 저항하지 말라고!!

시청자들의 원성이 채팅창을 도배했지만, 성지한은 꿋꿋이 유심소조를 운용했다.

그러자 주은지는 여신의 모습에서, 다시 원래의 평범한 얼굴로 돌아갔다.

"편집…… 이게 이토 시즈루의 권능인가?"

지금까지 겪어 보았던 서포팅 기프트 중, 가장 사기적인 능력이군.

성지한이 그리 생각하고 있을 때, 주은지는 두 눈을 크게 떴다.

조금쯤은 동요할 줄 알았는데, 하나도 먹히지 않을 줄이야.

'저번에는 분명히 어느 정도 먹혔는데…….'

여기까지는 계산에 없었다.

이 정도의 권능이면, 검왕 윤세진도 속절없이 당했을 터인데!

"당신…… 무슨 수를 쓴 겁니까?"

"그걸 말해 줄 의리는 없지."

성지한은 손을 뻗었다.

천장과 테이블.

두 곳에 숨겨진 채, 완전히 소멸하지 않았던 아카식 페이지가 성지한의 손아귀에 빨려 들어갔다.

두 개만 해도, 수천억의 가치.

이왕 카페에 와서 주은지와 대적하기로 한 이상, 성지한은 이걸 전리품으로 가져가기로 했다.

주은지의 입장에서는 빼앗기기에는 너무나도 값비싼 물건이었지만…….

'성지한부터 제압해야 해!'

그녀는 상황을 냉정하게 판단했다.

아카식 페이지야 또 사면 그만이다.

하지만, 성지한은 지금 사로잡지 않으면 한국에서 빼내기가 너무 힘들어진다.

저깟 종이 쪼가리 따위, 날리더라도 어떻게든 그의 신병을 장악해야 했다.

[아카리. 아카식 페이지는 상관하지 말고, 성지한을 우선적으로 제압하세요!]

[명을 받들겠습니다.]

휙-

다케다 근처에 있던 아카리가 순식간에 공간을 뛰어넘으며 성지한에게 짓쳐 들어왔다.

아카리의 침투는 은밀하고 신속했다.

성지한과 아카리의 격차는 어마어마하여, 최소 레벨이 100 이상 차이가 났지만.

[주인. 왼쪽이다.]

'달의 그림자' 기프트가 있는 성지한은.

암살자의 스킬트리 중, 그림자 관련 스킬을 찍은 아카리의 움직임을 어렵지 않게 파악할 수 있었다.

거기에 현실 세계에서도 힘을 모조리 사용할 수 있는 유니크 스탯 '무력'과.

공간을 지배하는 '포스'의 권능을 더하니.

"오. 빠른데?"

성지한은 아카리의 단검을 가볍게 피하며, 아카리가 품

고 있던 아카식 페이지를 포스로 끄집어냈다.

[네놈……!]

-키, 킷사마!

-찐텐으로 킷사마 들음 ㄷㄷ

-아니 지금 그게 중요함? 빨리 신고해야죠!

-지금 성지한 님 납치당하려 하잖아요! 저 저 여닌자
봤어요. 일본의 닌자 오타쿠 아카리예요!

-헐, 나도 봄. 노답 직업 암살자 고른 아카리? 그 사람
다이아리거인데 ㄷㄷ

-야야 이거 실제 상황인데? 빨리 신고해!!!

[아카리. 아카식 페이지는 상관하지 마세요! 당신은 타
깃의 확보에만 집중을!]

[알겠습니다!]

휙! 휙!

다이아와 실버의 차이를 보여 주겠다는 듯, 아카리가
재빠른 움직임으로 성지한을 습격했다.

여러 개의 단검이 허공에 어지러이 춤을 추며 성지한을
위협하고, 그녀의 그림자는 성지한을 사방에서 옭아매려
고 했다.

캉! 캉!

성지한의 왼손에서 급히 흑검이 튀어나와 이를 모두 퉁

겨 내지 않았다면, 이는 모두 살초가 되었을 터.

－어우.. 개빠르네 진짜;

－암살자가 이렇게 쩔었냐??

－현실에서 첩보용으론 제일 쓸 만하대.

－그런 다이아 리거랑 대등하게 맞서는 게 성지한 님이시다!!

－저, 저 성지한 님한테 조금 전에 사인받았어요! 여기 소드 팰리스 옆 건물, 지번 강남구 134…….

－빨리 지원 와야 해요! 이러다가 납치당한다고요!!

상대의 정체가 다이아리거 암살자인 아카리인 게 밝혀지자, 채팅창은 난리가 났지만.

실제 전황은 그렇게까지 위협적이진 않았다.

"블레스. 스트렝스. 헤이스트."

셀프 버프 3종 세트를 건 성지한은, 자신 있게 아카리와 검을 맞댔다.

'큭……!'

챙! 챙!

성지한의 암검 이클립스와, 아카리의 단검이 부딪치며 불꽃이 튄다.

능력치는 분명히 아카리가 앞섰다.

검의 속도도 물론이거니와, 무기가 서로 부딪쳤을 때

느껴지는 힘의 차이만 해도 아카리 쪽이 훨씬 유리했다.

하지만.

'……말도 안 돼.'

밖에서 보는 제삼자의 시선이 아니라.

당사자인 아카리는, 확실히 느낄 수 있었다.

막히고 있다.

자신이 내지르는 모든 공격이 막히다 못해 상대에게 완전히 읽히고 있었다.

내가 상대보다 느린가?

아니다.

훨씬 더 빠르다.

그렇다고 힘이 약한가?

그것도 아니다.

상대를 밀어붙일 수 있다.

그런데…… 왜지?

카앙!

분명히 여러 허초를 섞어서, 제대로 내지른 일격인데.

밀린다.

밀어붙일 수 있는데, 밀린다.

양립할 수 없는 명제가 실현되고 있었던 것이다.

하지만, 무기를 휘두르니 알겠다.

일격을 뻗어 나갈 때마다, 자신은 이미 상대의 계산 안에 들어가 있음을.

'이럴 수가……!'

게임 상의 등급은 비록 다이아와 실버라고 할지라도.

무기를 다루는 기예에서, 이미 현격한 차이가 났다.

그래.

저건 능력의 격차를, 사용자의 술術로 메운 것이었다.

'이렇게 된 이상, 해치운다는 생각으로 간다!'

아카리는 보다 더 위협적으로 성지한을 압박해 갔다.

처음에는 의식적으로 급소를 피했다면, 이제는 상관없이 공격을 감행했고.

그림자를 이용한 후방 기습도 적극적으로 펼쳤다.

하지만.

캉- 카강-!

"그래 봤자군."

진심을 다한 살초를 날려도 모든 게 막히는 건 매한가지였다.

머릿속을 들여다보듯 검로가 완전히 읽혀 버리니, 어떤 짓을 해도 무소용이었던 것이다.

'말도…… 안 돼…….'

아카리는 자신도 모르게 힘이 빠져 버렸다.

"암살자가 정면 승부를 해 온다는 것부터가 우스운 일이지."

성지한이 이죽거리며 말하자, 아카리의 눈썹이 삐죽 올라갔다.

저 한국인 남자가 무슨 말을 하는지는 완전히 이해하지 못했지만.

도발임은 분명했다.

이대로 질 수는 없다.

어떤 수를 써서라도, 제압해 주리라.

그녀는 자신이 가장 자신하는 스킬을 사용했다.

인술忍術

환영수리검幻影手裏劍

휘리리릭!

성지한의 사방에, 검은색의 표창이 날아든다.

어떤 것에는 실체가 있고, 어떤 것에는 실체가 없다.

암살자의 스킬답게, 허와 실이 절묘하게 섞인 인술, 환영수리검.

하지만, 성지한에게는 이를 파훼할 손쉬운 수단이 있었다.

"아리엘."

[뒤에 것 두 개 빼고 다 헛것이다.]

"알아서 제압할 수 있지?"

[당연하다.]

그림자 권능으로 따지면, 독보적인 능력을 자랑하는 아리엘.

그녀는 아카리의 허와 실을 모조리 파악하고는, 성지한
을 대신해서 뒤쪽에서 날아오는 공격을 모두 막아 냈다.

슈우우우-

암검 이클립스에서, 그림자가 일부 빠져나가며 성지한
의 뒤에 날아드는 표창을 막아서고.

캉!

검은 검대로, 아카리를 밀어붙였다.

[큭……!]

-와, 씹…… 미친 거 아니야? 상대 다이아인데??

-저 지금 112 119에 다 전화 돌리고 청와대 청원까지
올려서 제발 성지한 님 살려 달라고 했는데…… 헛된 일
이었나요?

-ㄴㄴ 잘했음. 그게 정상임. 성지한이 미친놈이었을
뿐이지.

-성지한 님을 욕하는 건 참을 수 없습니다!

-야;;; 이건 극찬이라고.

-검왕가보다 더한 애들이 되는 게 아닌지 몰라ㅋㅋ

작은 욕설조차 참지 못던 성지한의 팬들이 기세등등해
졌다.

실버가 다이아를 상대로 우세를 점한다니?

분명히 적의 스탯이 더 강하고, 더 빠른데.

이에 대항하는 성지한은 신묘한 움직임으로 적을 밀어
붙이고 있잖나.

[아카리……! 당신을 강화하겠습니다. 이번에 승부를
보세요!]

주은지는 서서히 밀리는 아카리를 향해 버럭 소리를 질
렀다.

잠깐은 다이아인 그녀의 체면을 봐주어서 지켜보고 있
었지만, 전황이 그럴 수가 없게 되었다.

아카리가 성지한과의 1:1대결에서 서서히 밀리고 있었
으니까.

'믿을 수 없어.'

주은지의 두 눈이 당혹으로 물들었지만.

그 안에는 흥분도 담겨 있었다.

'성지한. 너는…… 너는 무조건 내가 가진다.'

그는 모든 예측을 깼다.

아카식 페이지로 인해 강화된 서포팅 기프트 '편집'도
이겨 냈으며.

다이아 리거인 아카리의 습격조차도 역으로 이겨 내고
있었다.

이 플레이어는 규격 외의 존재다.

어떻게든 이번에 잡지 않으면, 나중에 무조건 후회할
상황이 올 것이다.

주은지는 최후의 수단을 사용했다.

[플레이어가토 아카리. 당신을 편집하여, 튜토리얼의 금제를 해제하겠습니다.]

이번에 그녀가 편집한 대상은 성지한이 아니라.

튜토리얼의 금제에 걸려, 배틀넷의 능력치를 모두 활용하지 못하는 아카리였다.

* * *

튜토리얼의 금제.

이것은, 전 세계 모든 플레이어에게 걸려 있는 강력한 락이었다.

[게임 속 모든 스킬과 능력치는, 현실에서 보정되어 적용됩니다.]

배틀넷 게임 속의 능력치를 현실 세계에 그대로 가져와 사용한다면, 사회에 커다란 혼란을 야기할 건 자명한 일.

튜토리얼의 금제는 이를 최소화하기 위한 완충 수단이었다.

이걸 '편집'해서 해제하는 건, 인간의 감정을 조절하는 것과는 차원이 다른 일이었다.

아리엘은 주은지의 말을 듣고는, 탄성을 내질렀다.

[허! 튜토리얼의 금제를 해제한다고? 아무리 아카식 페

이지를 사용한다고 해도, 저게 가능하다니…… 저 정도면 서포팅 기프트의 등급이 분명 SSS급일 거다.]

"아리엘. 일본어도 할 줄 알았나?"

[인간의 언어 따위, 금방 파악 가능하다.]

"그럼 쟤들 말 계속 해석해서 알려 줘."

[알겠다.]

성지한이 아리엘에게 통역을 맡기고 있을 때.

[이런…… 분신의 능력이 부족하군요.]

스으으으—

주은지의 살갗이 갈라지기 시작했다.

그렇게 갈라진 살갗 속에는, 인간의 피륙 대신 황금빛의 종이가 채워져 있었다.

[아카리. 금제의 해제 시간은 5분입니다.]

바시시시—

아카식 페이지로 이루어진 주은지의 몸이 소멸하기 시작했다.

주은지의 팔과 다리가 완전히 사라지고, 몸통마저 가루가 되어 가고 있을 때.

그녀는 자신의 몸을 내려다보며, 섬뜩하게 웃었다.

[숨만 붙여서 일본으로 데려오세요.]

[……알겠습니다. 주군!]

[그럼 일본에서 뵙죠.]

튜토리얼의 금제를 깨기 위해, 주은지가 치른 대가는

막대했다.

분신의 육체를 이루던 아카식 페이지 11장이 모조리 사라지고.

이를 통해, 5분이라는 리미트 해제 시간을 얻은 것이다.

웃으면서 사라지는 주은지를 보며, 아카리는 이를 악물었다

'내가 부족해서……!'

자신이 성지한을 제압하지 못해서, 주군의 분신이 희생되었다.

이토 시즈루가 분신을 만들기 위해 어마어마한 대가를 치른 걸 옆에서 지켜보았던 아카리는, 실버도 제압하지 못하는 자신이 한심해서 견딜 수 없었다.

[네놈…… 사지를 잘라 주마!]

아카리가 거칠게 포효하며 빛살 같은 속도로 돌진해 왔다.

[주인의 사지를 자른다는데?]

"이건 굳이 통역하지 않아도 알겠다."

[해제 시간은 5분이라고 한다.]

"그건 중요하네."

획!

분노에 몸을 맡겨 그런지 움직임은 조금 전보다 단순했지만, 금제가 해제된 영향으로 속도가 몇 배나 위협적으

로 변했다.

'포스로도 제어가 안 되는군.'

공간을 지배하는 포스의 힘마저도 무시하고 들어오는 다이아의 돌진.

거리가 좁혀지자 수리검이 순식간에 세 개가 날아오며, 성지한의 팔다리를 노렸다.

아카리의 말대로, 성지한의 사지를 잘라 버리려는 의도가 여실히 느껴지는 공격.

하나, 성지한의 지척에 다다른 수리검은.

투두둑-

힘을 잃고, 땅바닥에 떨어졌다.

'절대영역은 통한다.'

능력치에 비례하여 커지는 포스의 절대영역.

아카리의 행동 하나하나가 위협적으로 변했다지만, 여기까지 들어오면 제어가 가능했다.

[쓸데없는 반항을!]

다만, 아카리가 직접적으로 가해 오는 공격은 절대영역 안에서도 제어하기 힘들어서, 그저 속도만 조금 줄일 수 있을 뿐이었다.

하나 성지한에게는 그 정도로도 충분했다.

'이 역시 막아 낼 수 있다.'

콰르르르-!

단검을 막아 낸 이클립스의 형태가 살짝 뭉개지며, 거

대한 충격파가 사방으로 터져 나갔다.

마치 폭탄이라도 터진 듯, 카페 안의 테이블이며 집기
가 모조리 부서져 가루가 되었다.

다이아의 힘이 100퍼센트로 펼쳐지니, 초인의 힘이 제
대로 펼쳐진 것이다.

[흐읍!]

쾅! 쾅!

호흡을 가다듬은 아카리가 강하게 성지한을 몰아세웠
다.

금방이라도 어디 한 군데가 잘려 나갈 것처럼 맹렬하게
쏟아져 내리는 공격들.

그것들을 1인칭으로 바라보고 있는 시청자들 입장에선
매 순간순간이 섬뜩하기 그지없었다.

-ㅅㅂ…… 이거 위험한 거 아니야?

-저 닌자의 공격이 아예 안 보이는데;;

-대체 어떻게 막고 있는 거냐ㄷㄷㄷㄷ

마치 만화나 애니메이션에서나 보일 법한 공격이 이어
졌다.

무기가 부딪치는 소리만 들릴 뿐, 어디서 어떤 궤도로
날아오는지도 분간이 안 되고 있었다.

고속으로 움직이는 아카리의 팔은 아예 어깻죽지부터

형체가 보이지 않는 정도.

　-찐다이아랑 맞붙는데…… 진짜 미쳤다…… 원래는
곰살 아님?
　-ㅅㅂ곰살같은 소리 하지 마라. 실제 상황이라고
　-어떻게 해요! 지한니뮤 사지 잘리면ㅠㅠㅠㅠ
　-플레이어 진압 특공대 아직 출동 안 했나요?
　-출동했다고 합니다!
　-특공대라 해도 다이아 이길 수 있나…….

캉! 캉!
또다시 공격이 막힌다.
적의 암검은 부러질 것 같으면서도 부러지질 않고 있었
고.
성지한은 여전히 단 일격도 허용하지 않고 있었다.
[이이익……!]
아카리는 미칠 것 같았다.
주군이 분신을 포기하면서까지 제한을 풀어 줬는데, 이
게 무슨 추태인가!
아무리 성지한이 자버프를 사용했다고 한들, 스탯은
확실히 자신이 압도적이다.
근데 자꾸 한 끗 차이로, 공격이 통하질 않는다.
'거기에 저 눈……!'

압도적으로 밀어붙이는 것 같은데.

성지한의 눈은 전혀 흔들림이 없었다.

아니…… 오히려 이 상황을 즐기는 듯한 느낌까지 들었다.

한 번만 잘못 움직여도 사지가 잘려 나갈 상황이건만, 그는 자신이 질 거라는 걸 전혀 상정하지 않는 것 같았다.

'그 자신감을 박살 내 주겠어……!'

한편.

성지한은 다른 생각을 하고 있었다.

'자칫 잘못하다가는 건물에 문제가 생길지도 모르겠군.'

한 번 무기가 부딪칠 때마다, 엄청난 충격파가 터지고 있었다.

주변의 물건들은 이미 충격파로 인해 부서져 가루가 돼 버린 상황.

'이 정도의 충격량이라면 분명 건물에도 영향이 있겠지.'

자칫, 건물에 화재라도 나면 대참사가 벌어진다.

성지한은 창밖을 슬쩍 바라보았다.

창가 너머에 있는 공원에, 마침 사람이 거의 없었다.

'저리로 가야겠군.'

카페는 건물 4층에 위치하고 있었지만.

성지한은 거리낌 없이 밖으로 몸을 던졌다.

쨍그랑!

"뭐, 뭐야?!"

"맞을 뻔했잖아!"

건물 유리창이 깨져 바닥에 떨어지자, 길가에 지나가던 사람들이 위를 바라보고 소리를 질렀지만.

[도망치지 마라!]

4층 카페 벽면이 모조리 터져 나가며 아카리가 무서운 속도로 날아가자, 상황이 심상치 않다는 걸 느낀 사람들이 비명을 내지르며 대피했다.

'여기면 적당하군.'

성지한이 한적한 공원에 착지하자, 그 뒤를 쫓던 아카리가 스킬을 사용했다.

인술忍術

환영수리검幻影手裏劍

능력치 제한이 풀린 현 상황에서, 이 스킬을 쓰면 성지한이 즉사할까 봐 사용하질 않았는데.

'이제 시간이 얼마 안 남았어……!'

5분의 리미트 중 벌써 절반이 넘게 지났다.

이제는 상대의 목숨을 생각하며 싸울 여유가 없었다.

승부를 봐야 했다.

스스스스-!

허공에 수많은 표창이 생겨나며 성지한의 사방을 둘러 쌌다.

[이번에는 허상이 없군.]

"……그래?"

어둠의 기운이 섞인 검은 표창을 바라보며, 아리엘이 담담히 말했다.

기술명만 환영수리검이지, 이번에는 환영이 하나도 없었다.

과연 제약을 벗어던졌다 이건가.

휘리리릭!

사방에서 표창이 날아오고.

[죽어라!]

악에 받친 아카리가 쏜살처럼 돌진해 왔다.

이제는 성지한을 잡아갈 생각도 없는지, 그녀의 두 눈에는 살기가 그득했다.

이 상황에서, 더 이상 피하기는 힘들다.

'여기서 결판을 지어야겠군.'

무명신공無名神功

암영신결暗影神訣

암혼와류暗魂渦流

그림자검 이클립스가 형태를 잃고 소용돌이로 화했다.

암혼와류가 강렬히 회오리치며, 성지한에게로 날아오는 수리검을 일제히 빨아들이기 시작했다.

[……이게 무슨!]

아카리는 등골이 오싹했다.

수리검을 모조리 빨아들이는 검은 소용돌이.

자신의 환영수리검과는 완전히 격이 다른 스킬이었다.

수리검과 함께 돌진하던 그녀조차도 잠시 발걸음을 멈출 정도로, 회오리치는 어둠은 더없이 불길하고 폭력적이었다.

저리로 가면 안 된다.

본능이 그렇게 그녀를 경고하고 있었다.

'그래도……!'

주군의 분신이 희생한 걸 떠올리며, 아카리는 의지를 다졌다.

저 소용돌이 때문에 여기서 포기할 수는 없었다.

저 왼팔.

검과 혼연일체가 된 왼팔만 베면 된다.

[인술忍術…… 귀참鬼斬!]

아카리가 새하얗게 빛나는 단검을 든 채 점점 몸집을 불려 가는 암혼와류의 안으로 뛰어 들어갔다.

다이아의 능력을 믿은 것일까.

어떻게 보면, 너무나도 정직한 돌진이었다.

하지만.

치이이익-!

눈앞의 소용돌이가 베이는 대신.

성지한의 왼팔에, 혈선이 그어졌다.

공간을 뛰어넘는 일격, 귀참.

암혼와류가 위치한 공간을 건너뛰고, 성지한의 왼팔을 위에서부터 베어 버린 것이다.

'됐어……!'

드디어 공격이 먹혔다!

아카리는 흥분하며, 왼팔을 완전히 베어 버리려 몇 번이고 귀참을 사용했다.

휘이이이-

비록 암혼와류에 SS급 닌복이 찢겨 나가고, 온몸의 살점이 뜯겨 나갔지만.

그럼에도 처음으로 제대로 입힌 유효타에, 아카리는 몸을 아끼지 않았다.

그렇게 몇 번이고 검을 휘둘렀을까.

툭!

드디어 성지한의 왼팔이, 완전히 잘려 나갔다.

[됐다!]

그걸 본 아카리는 눈물마저 날 것 같았다.

시간을 조금 더 지체했다면, 패배한 건 이쪽이 될지도 몰랐다.

하지만, 결국 이긴 건 이쪽이다.

[끝이다, 성지한. 당장 사지를 잘라, 일본으로 몸통만 가지고 가 주마⋯⋯!]

저 지긋지긋한 암검이 사라진 이상, 이제 더는 반항할 수 없겠지.

강렬한 어둠의 소용돌이도 더 이상 그 힘을 유지하지는 못할 거다.

아카리는 당장 성지한의 남은 사지를 자르기 위해, 단검을 휘두르려고 했지만.

[어⋯⋯.]

이상하다.

몸이 움직이질 않았다.

아니. 움직이기는 하는데, 발이 움직이질 않았다.

마치 늪에 빠진 것처럼.

땅바닥을 바라보는 아카리의 두 눈이 부들부들 떨렸다.

[이게 무슨⋯⋯.]

분명히 팔이 잘렸는데.

어둠의 소용돌이는, 기세를 잃지 않고 있었다.

사그라든 줄 알았던 소용돌이는 그저 방향을 바꿔 아카리의 발을 완전히 휘어잡고 있었을 뿐이었다.

"흠, 팔을 벤 줄 알았나?"

획.

오른팔만 남은 성지한이 뒤로 물러섰다.

아카리는 팔이 베였음에도, 여유로운 미소를 짓고 있는 모습에 소름이 돋았다.

대체…… 어떻게 된 거지?

그녀의 시선이 성지한의 왼팔을 향했다.

'팔은 분명히 떨어졌는데…….'

그런데 자세히 보니.

팔의 절단면은 시커먼 그림자가 짙게 깔려 있었고, 피는 한 방울도 흐르지 않고 있었다.

'뭔가…… 잘못됐다.'

그리고 그 불길한 예감은.

성지한이 인벤토리에서 봉황시를 꺼내 들자, 현실이 되었다.

"주인을 따라가라. 닌자."

무명신공無名神功

삼재무극三才武極

선인지로仙人指路

성지한의 손에서 봉황시가 떠나자.

그것은 곧 거대한 불길이 되어, 그녀를 덮쳤다.

화르르르!

봉황시의 백화가 순식간에 아카리를 불태운다.

던질 때의 위력이 더욱 강해지는 봉황시답게, 불길은
강렬하기 그지없었다.

−이김!!
−저거 죽은 거 맞지?
−찐다이아 이긴 거야? 실버가?
−미쳤다 진짜; 시점 공유해서 보는데도 대체 어떻게
이겼는질 모르겠네
−팔 잘렸을 때는 찐텐으로 소리 질렀는데ㅠㅠ 다행이
다……

시청자들은 성지한과 같이 시점 공유를 하고 있었음에도.
대체 상황이 어떻게 이렇게 돌아간 건지 알 수가 없었
다.
하도 빠르게 진행된 전투였기에, 일반인의 눈으로는 제
대로 파악할 수가 없었던 것이다.
나중에 방송이 끝나고 차분하게 슬로우 모드로 보아야,
전투가 어떻게 흘러갔는지 겨우 파악할 수 있을 정도.

−근데 이거…… 살인 사건을 생중계한 거 아닌가요?
−살인은 무슨 정당방위였구만.
−그래도 죽인 건 죽인 거지. 이거 국가 분쟁 일어나겠
는데?

―그럼 그대로 성지한이 뒈졌어야 함? 아니면 사지 잘리고 몸통만 일본으로 운반되어야 했나?

―ㄹㅇ 이건 우리나라에서 일본에 항의해야 하는 일임.

―풀발 ㄴㄴ 괜히 법원 갈까 봐 걱정돼서 그렇지……

한편 배틀넷이 아닌 현실에서 아카리가 불길에 잠겨 버리자, 시청자들은 성지한이 벌인 일에 대해서 갑론을박이 펼쳐지고 있었다.

실버가 다이아를 이긴 쾌거를 이룬 것까지는 좋은데.

아무래도 이게 게임이 아니라 현실에서 벌어진 것이다 보니, 법적으로 문제가 될 소지가 있어 보였다.

하지만.

'죽지는 않았군.'

이미 아카리가 죽었다고 보는 시청자들과는 달리, 성지한은 저 백화白火 속에서 아카리가 끈질기게 명줄을 붙잡고 있음을 간파했다.

'튜토리얼의 금제만 아니었으면 벽력섬뢰를 사용해서 끝을 보았을 텐데.'

무력과 포스 같은 유니크 스탯은 튜토리얼의 금제에 비교적 자유로웠지만, 그래도 배틀넷 게임 안에서처럼 힘을 완전히 발휘할 수는 없었다.

특히 무명신공의 상승무류를 사용하는 건 더 힘든 일. 그나마 그림자검 이클립스가 있었기에 펼쳐 낼 수 있었던 것이다.

[하아…… 하아…….]
투두두둑—
백화 속에서, 검은 실루엣이 일어났다.
[어떻게…… 이럴 수가…….]
그리고 그곳에서부터 깊게 가라앉아 있는 아카리의 음
성이 흘러나오자, 시청자들은 경악에 빠졌다.

—와 씨발 욕 나오네;
—저걸 맞고도 사냐?
—역시 고삐 풀린 다이아…… 개세네 ㄷㄷ
—이럼 지한 님 위험한 거 아닌가요??
—쟤 정신 못 차리고 있는 동안 도망치시는 게…….

그때.
탕! 타탕!
"성지한 님. 피하십시오!"
"이제부터 저희가 맡겠습니다!"
위협사격 소리와 함께, 경찰청 소속의 대 플레이어 진
압 특공대가 모습을 드러냈다.
두두두두두!
아카리가 있는 쪽을 향해, 인정사정없이 사격을 개시하

는 특공대.

강력한 플레이어가 난동을 부릴 경우, 그들이 입히는 피해는 상상을 초월했기 때문에 이에 대항하는 특공대의 조치엔 사정이 없었다.

아무리 플레이어들이 날고 긴다고 해도, 현대 화기의 화력은 강력했으니.

이 정도로 집중 사격을 받으면, 아무리 강력한 플레이어라 한들 살아남기 힘들겠지만…….

'상대가 나쁘군.'

휙! 휙!

아카리의 몸이 투명하게 변하고, 총알이 그 몸을 그대로 스쳐 지나간다.

암살자라면 모두가 지니고 있는 고유 스킬, 영체화靈體化였다.

–뭐야. 갑자기 귀신 됐네 ㄷㄷ

–암살자는 다 저거 쓸 수 있음.

–개사기네 ㄷㄷ 근데 성지한이랑 싸울 때는 왜 안 씀?

–저거 쓰면 스탯 확 떨어짐. 게다가 성지한은 오라도 쓸 수 있으니까 오히려 불리하지.

–아하. 어? 근데 쟤…… 날아간다?

슈우우우–

한참 집중 사격을 당하던 아카리의 영체가 허공 위로 연기처럼 떠올랐다.

바닥에서 소용돌이치며 아카리를 붙잡고 있던 암혼와류는 어느새 크기가 작아져 있는 상태였기에, 다시 운신을 할 수 있게 된 것이었다.

'힘이 조금만 더 있었으면 좋았을 텐데, 아쉽군.'

암혼와류로 좀만 더 붙잡았으면, 아카리를 확실히 처치할 수 있었을 텐데.

실버의 힘으로는 여기까진가.

성지한은 암혼와류가 사라지고, 암검만 남아 있는 방향을 향해 떨어진 팔을 가져다 대었다.

그러자.

쑤우욱!

암검이 성지한의 텅 빈 팔에 달라붙으며, 왼팔이 빠르게 재생되기 시작했다.

주변의 경찰 특공대들은, 성지한의 손이 만들어지는 기이한 광경을 지켜보며 숨을 죽였다.

"흠, 잘 움직이는군."

팔꿈치부터 손가락까지 새카맣게 물들어 있기는 했지만, 왼손의 상태는 멀쩡하기만 했다.

[허어…… 주인의 미친 짓이 정말 실현 가능했군. 팔을 스스로 잘라 낼 줄이야.]

"그때는 그게 최선이었다."

아까의 상황에서, 아카리의 귀참을 막을 방법은 없었다.

그녀의 검격에 의해 팔이 떨어지는 건 예견된 결과.

적의 검에 베였으면 절단면에 귀기鬼氣가 깃들어, 암검 이클립스에서 펼쳐지던 암혼와류도 금방 힘을 잃었을 것이다.

[그래도 검과 팔의 일체화가 제대로 되지 않았으면 그대로 신체를 잃었을 텐데. 인간은 최하급 종족이라 신체 손실에 민감하지 않나.]

"재생하면 되지. 우리나라에 좋은 서포터들 많아."

성지한은 아무렇지도 않게 이야기했다.

저번 생에서도, 워리어로 살아가며 숱하게 잘리고 잃어버렸던 신체 아니었던가.

이제 와서 팔 하나 잘렸다고 우는 소릴 하기에는, 그가 전생부터 지나 온 전장이 너무나도 혹독했다.

"근데……."

성지한은 오른손으로 땅에 박힌 봉황시를 뽑아, 하늘을 바라보았다.

도망치지도 않고, 그렇다고 덤벼들지도 않고.

갈피를 못 잡고 둥둥 떠 있기만 하는 아카리.

"아직 안 갔네?"

그의 눈이, 사냥감을 노리는 맹수처럼 흉흉하게 빛났다.

"다이아 사냥, 다시 시작하지."

무명신공無名神功

보법步法

섬천뢰보閃天雷步

아카리는 성지한이 자신을 향해 쏜살같이 날아오자, 한 껏 질린 얼굴이 되었다.

'뭐 저런 인간이 다 있는가…….'

조금 전에는, 정말 죽을 뻔했다.

아카리가 입고 있는 닌자복이 SS급 장비인 데다가, 다 이아리거의 능력을 모두 사용할 수 있었기에 그 공격을 겨우 버텨 낸 것이지.

뭐 하나라도 삐끗했다면, 온몸이 불타 고통 속에서 죽 었을 것이다.

'금제가 다시 걸리기까지…… 1분.'

아직 힘은 남아 있다.

성지한과 맞붙을 만했다.

객관적으로, 전투가 펼쳐지면 우세한 쪽은 여전히 자신 이겠지.

하지만.

'……1분 안에 저자를 제압할 수 있을까?'

자신이 없었다.

여기서 더 나아가, 살기가 흉흉한 성지한의 두 눈을 바 라보니.

[…….]

겁이 났다.

저놈은 진짜다.

1분 안에 제압하지 못하면.

그래서 튜토리얼의 금제가 다시 생기면, 성지한에게 우세를 점할 수 없게 된다.

아니, 우세를 점하는 게 문제가 아니라…… 죽는다.

아카리는 몸을 부들부들 떨었다.

배틀넷에서 숱하게 죽기는 했지만, 그건 어디까지나 게임.

실제 현실에서의 죽음과는 차원이 다른 문제였다.

지금까지는, 죽을 거라고 생각하지 않았기에 죽음의 공포 따위 이겨 낼 수 있을 것 같았지만.

성지한이 뿜어내는 진짜 살기를 맞이하니, 그녀는 그 생각이 착각이라는 걸 깨달았다.

'나는…….'

치익!

어느새 지척에 접근한 성지한의 검이 얼굴을 스친다.

금제가 풀린 다이아의 힘으로는 충분히 피하고 반격까지 취할 수 있는 공격.

하지만, 아카리는 애써 검을 피하기만 할 뿐.

역으로 공격할 생각을 하지 못했다.

'……이, 이길 수 없어.'

이미 패배감이, 그녀의 가슴속에 짙게 깔려 있었던 것이다.

다만 아카리가 여기에 계속 있었던 이유는, 주군인 이토 시즈루가 분신마저 희생하면서 내린 명령 때문이었다.

그때.

[아카리. 이제 됐습니다. 전장에서 이탈하세요.]

그녀의 귓가에, 이토 시즈루의 목소리가 들려왔다.

이는 차마 도망을 가지 못하던 그녀에게 명분을 안겨주는, 구세주의 음성과도 같았다.

[알겠습니다. 죄송합니다…… 주군.]

아카리는 기다렸다는 듯이 등을 돌렸다.

그리고 남은 1분간 사용할 수 있는 힘을, 필사적으로 도망치기 위해 사용했다.

휘이이익!

광풍과 함께 순식간에 사라지는 아카리.

전력을 발휘한 다이아의 도주는 빛의 속도나 다름없었다.

* * *

"하, 빠르네."

애초에 스탯에서 엄청난 차이가 났던지라, 성지한은 따라갈 엄두를 내지 못하고 입맛을 다실 수밖에 없었다.

"아쉽게 끝났네요, 여러분."

　-와 미쳤네 진짜 ㅋㅋㅋㅋ
　-다이아가 쫄튀하는 거 실화냐? ㅋㅋㅋㅋㅋㅋ
　-K-실버의 클라스에 가슴이 웅장해진다…….
　-K-실버는 무슨 ㅋㅋㅋ 우리나라 실버가 죄다 저 정
도면 이미 대한민국이 세계 제패함.
　-와…… 후원 쏘고 싶은데 하필 통장에 백만 원밖에
없음ㅠㅠ
　-한도 1만 GP 에바라고 형 ㅠㅠ

　스크롤이 마구 올라가는 채팅창.
　최소 후원 한도가 천만 원이 아니었으면, 흥분한 사람
들로 인해 도네이션 메시지로 도배가 되었겠지.
　"마음만으로 충분합니다. 대신, 오늘은 아카식 페이지
를 건졌으니까요."
　성지한은 인벤토리에 넣어 두었던 오늘의 전리품, 아카
식 페이지 세 장을 꺼냈다.

　-와…… 오늘 얼마 버신 거임?? ㄷㄷㄷ
　-아ㅋㅋㅋ 이럼 얘기가 다르지ㅋㅋ 그깟 도네 안 받아
도 되지!!
　-근데 일본 애들 지독하네. 아카식 페이지를 세 장이

나 쓴 거면…… 대체 얼마를 돈지랄한 거야?

-그러네 ㄷㄷ 개소름이네;

-아 근데 여신님 얼굴 또 보고 싶다……ㅜㅜ

-ㄹㅇ 겁나 예쁨.

-헤으응…… 재방 돌려 봐야지…….

잠깐 보았던 이토 시즈루의 얼굴을 잊지 못하는 시청자들.

성지한이 제때 유심소조를 사용해서 망정이지, 안 그랬으면 이미 시청자들은 전부 그녀의 노예가 되었을 것이다.

'영상에 매혹의 힘이 남아 있으면 삭제를 해야겠군.'

성지한은 그리 생각하며, 꺼내든 아카식 페이지를 바라보았다.

세 장 중 두 장은 사용된 거라서 금빛이 많이 바래져 있었지만.

다케다가 미처 사용하지 못했던 하나는 찬란한 황금빛을 발하고 있었다.

"그래도 다케다 덕에, 하나는 온전하군요."

-다케쨩이 유일하게 잘한 일ㅋㅋㅋ

-다케쨩 기프트가 교류였나? 그거도 당해 주지…… 여신님 영접하는 기분 느끼고 싶다

-미친 새끼들…… 지한 님 일본 가라고 고사 지내냐?

-에이 형은 그거 좀 당해도 끄떡없음 우리들이 문제
지ㅋㅋㅋㅋ

안 그래도 아카식 페이지를 구하려고 했는데.

이렇게 공짜로 들어오니 잘 되었군.

아카리를 죽이지 못한 건 아쉽지만, 그래도 얻은 전리
품에 만족하고 있자니.

[★☆다케쨩☆★이 10,000GP를 후원했습니다.]

[성 상…… 타스케떼…….]

갑자기 채널에 후원 메시지가 떴다.

-?? 뭐임 갑자기

-그러고 보니 다케쨩 아직 안에 있나?

-저놈은 한글로 타스케떼를 치네 ㅋㅋㅋㅋ

-어이어이. 현지화 너무 된 거 아니냐고wwww

-타스케떼가 뭔 뜻임?

-살려 달라는 거임.

성지한은 그 메시지를 보며 피식 웃었다.

카페 안이 어떻게 난리가 났는지는 모르겠지만.

다케다가 도망칠 수 없는 상황이 되었나 보다.

'저거, 포로로 잡아야겠군.'

획!

카페로 다시 날아간 성지한은, 부서진 건물 잔해에 깔린 다케다를 발견할 수 있었다.

하체가 짓눌린 채, 핸드폰을 손에 쥐고 있는 그는 성지한을 보며 어색하게 웃었다.

"헤, 헤헤…… 성 상."

"심각하진 않군."

"아…… 심각하지 않긴요. 아픕니다…… 하체에 감각이 안 느껴져요…….."

"안 죽었음 됐다."

스으으윽.

포스로 잔해를 들어 올리고 다케다를 꺼낸 성지한은.

"자. 여러분. 다케다도 포획했으니, 오늘 방송은 여기까지 하겠습니다."

그 말을 끝으로, 중계를 종료했다.

* * *

이날의 방송은.

한국뿐만이 아니라, 일본…….

여기서 더 나아가, 전 세계의 시선을 집중시켰다.

불과 24시간이 지나기도 전에, 조회 수 1,000만을 돌파한 화제의 영상.

"……시즈루. 이 방송…… 대체 뭐지?"

그리고, 그 1,000만 명 중에는.

도쿄에 거주하고 있는 검왕, 이토 류헤이도 포함되어 있었다.

성지한 채널에서 이번에 생중계된 영상의 내용은.

순식간에 전 세계의 뉴스 채널에서 속보로 다뤄졌다.

[한국의 실버 성지한, 다이아와 맞서 이기다.]

[미의 화신에서 일반인까지. 이토 시즈루의 정체는?]

[검왕의 여인은 이토 시즈루? 둘의 성이 일치하는 것은 과연 우연인가?]

[금제가 풀린 플레이어 앞에서 쓸모없는 진압 특공대.]

이번에 생중계한 영상은 여러 면에서 사람들을 경악시켰다.

가장 화제가 되는 건 역시, 실버에 불과한 성지한이 다이아인 아카리를 제압한 것이었다.

-어떻게 실버가 다이아를 이길 수 있냐?

-이것은 잘 만들어진 조작!

-플레이어 성은 지금껏 계속 1등을 쟁취해 온 세계 최고의 유망주입니다! 저번에는 골드랑 같이 게임을 플레이하기도 했습니다!

-배틀튜브에서 영상을 조작하는 건 불가능하지.

-저 동양인은 저번 TOP100 경기 때 나온 사람이야. 배런을 꺾어서 화제가 되었지.

-아, 내 10만 달러를 날린 그 인간이군! 그 괴물이 벌써 이렇게 컸어?

-AF는 뭐 하냐, 그를 안 데려오고?

성지한에 대해 잘 모르거나, TOP100 경기 때만 잠깐 보았던 외국인들은 그 자체에 대한 이야기로 한창이었다.

하지만, 성지한의 상대였던 아카리의 모국 일본에서는.

그에 대한 이야기보다는, 아카리가 도망친 것에 대해 거센 비난을 쏟아 내고 있었다.

-다이아가 실버에게 겁먹어서 도망치다니…… 이 영상은 일본의 영원한 똥으로 남을 듯(;◔ д ◔)

-닌자 오타쿠짓 할 때부터 알아봤다.

-아카리는 일본의 수치다. 돌아오지 말고 조선에서 할복해라wwww

-그래도 국가대표는 아니라서 다행인 草草草

-국대전은 우리가 전승하고 있으니 문제없다는 wwww
　-검왕 다이스키!!! wwww

　아카리는 한 때 일본의 촉망받는 궁수 유망주였지만.
　특수 전직을 고를 때, '암살자'를 선택한 이후부터 그녀
는 신 자위대의 팬들에게 안 좋은 이미지로 박혀 있었다.
　언론사 기자가 특수 전직 중 왜 암살자를 선택했냐고
질문했을 때, 자기가 옛날부터 닌자 매니아여서 골랐다
고 답했으니까.
　겨우 그딴 이유 때문에 아처의 특수 전직 중 가장 안
좋은 암살자를 고른 거냐며.
　당시에도 신 자위대 팬들에게서는 아카리에 대한 여론
은 좋지 않았다.
　그리고, 이렇게 성지한이 아카리를 이긴 것과 더불어,
가장 많이 이야기되는 것은.
　바로 이토 시즈루였다.

　-근데 이토 시즈루는 누구임?
　-벌써 여신모드일 때 클립 누가 따 놨더라ㅋㅋ
　-이미 내 incoming에 다운받음.
　-언젯적 인커밍이야;;
　-이토 시즈루의 성은 이토. 검왕이 바꾼 성도 이토. 그
녀가 검왕 꼬드겼나?

-저런 얼굴로 변해서 유혹해 오면 버틸 수가 없지 ㅋ
ㅋㅋㅋ

　-ㄹㅇ 난 1초 컷임.

　'이토'라는 성을 시즈루가 썼기 때문에, 한국인들은 검
왕이 그녀에게 넘어갔을 거라고 예측했으며.

　-이토 시즈루가 누구야? 아는 사람 있음?
　-모르겠는……. 근데 저 사람이 검왕도 데려온 건가?
　-진정한 일본인이다.
　-성지한까지 데려오면 완벽했을 텐데 아쉽다.
　-조선만 너무 털어 가는 것 아니냐는 wwww
　-다른 나라 플레이어도 꼬드겨 주세요 wwww

　일본인들은 대부분 이토 시즈루가 누군지 모르는 눈치
였지만, 검왕을 데려온 사람이라고 추측하고는 애국자라
고 추켜세웠다.

　한일 양국에서 모든 언론의 1면에 실리며, 뜨거운 화제
가 되고 있는 이토 시즈루.

　"시즈루? 그녀가 왜……?"

　신 자위대 본부에서 수련을 하던 검왕이 이를 알게 된
건, 당연한 수순이었다.

　그는 성지한의 영상을 끝까지 돌려 본 후.

"으음······!"

딱딱하게 굳은 얼굴로 본부를 떠났다.

* * *

도쿄 교외에 위치한 거대 저택.

부촌이라 불리는 지역에서도, 가장 커다란 규모를 자랑하는 이 저택의 주인은 바로 이토 시즈루였다.

기프트 '편집'을 각성하고 난 후, 일본 정 · 재계의 막후에서 독보적인 존재로 자리매김한 그녀는.

자신의 위치에 걸맞은 대저택을 2년 전 완공한 상태였다.

그리고 이 집에는, 얼마 전부터 검왕 이토 류헤이도 들어와서 그녀와 같이 살고 있었다.

"시즈루, 대답해라."

검왕은 싸늘한 얼굴로 스마트폰을 들어, 시즈루에게 다가왔다.

스마트폰 화면에는 성지한의 영상이 비춰지고 있었다.

그것도 이토 시즈루의 분신이 매료를 걸어서, 여신처럼 보이던 때에 맞춰져 정지되어 있는 채로.

그리고 그 외모는.

"류헤이······."

검왕이 지금 여기서 보고 있는 여자와 똑같았다.

한국에 파견되었던 주은지, 이토 시즈루의 분신은 평범

한 외모였던 것과는 달리.

도쿄에 있는 이토 시즈루는 미의 극치나 다름없는 외모를 하고 있었다.

동서양이 추구하는 미의 이상향이 적절하게 조화된 데다가, 그녀 주위를 감싸는 분위기 자체가 더없이 매혹적이라.

검왕은 분노한 채 들어왔다가도, 그 얼굴을 보고 화가 스르르 풀리는 걸 느꼈다.

'이래선 안 돼……'

아무리 자신이 그녀를 사랑한다지만, 화를 낼 때는 내야 했다.

검왕은 애써 자신의 분노를 담금질했지만, 이미 그의 마음은 한풀 꺾여 있었다.

단지 얼굴을 본 것 하나 때문에.

"무엇이 궁금하신가요?"

이토 시즈루는 이미 그런 검왕의 기색을 읽은 듯, 여유로운 미소를 지으며 반문했다.

"성지한. 그 녀석을 회유하기 위해 한국으로 간 게 사실이냐?"

"네, 맞아요."

그녀는 태연하게 이를 긍정했다.

그 태연함에, 오히려 흥분한 검왕이 잠깐 멈칫할 정도였다.

그는 말을 살짝 더듬으며 소리쳤다.

"……왜, 왜지? 내가 있잖아!"

"뛰어난 플레이어를 얻고 싶어서요. 인재는 많을수록 좋잖아요?"

"그래서, 저런. 매료라는 방식을 사용한 건가…… 설마. 너, 나한테도…….."

"류헤이."

시즈루는 검왕의 눈을 똑바로 바라보았다.

"그랬다면요?"

"뭐, 뭣……."

"그렇다면, 어떻게 하실 건가요?"

"……."

"절 떠나, 다시 한국으로 돌아가실 건가요?"

"너……."

<u>스으으윽.</u>

시즈루는 입가에 매혹적인 미소를 지은 채, 검왕에게 다가갔다.

그녀만이 품고 있는 향이 난다.

다른 수많은 여자를 만났을 때도 맡지 못했던, 사람을 미치게 하는 향수 냄새.

아니, 그건 특정 향수라기보다는.

이토 시즈루라는 여자가 지닌, 고유의 향기다.

'아…….'

이미 분노는 사라지고, 그녀를 향한 갈망만이 남았다.

그도 안다.

얼굴 봤다고 화가 가라앉고, 향을 맡았다고 흥분하고.

이게 정상적인 반응일 리가 없다는 걸.

하지만 알면서도, 당할 수밖에 없다.

그게 행복했으니까.

그녀는 그 어떤 마약보다도, 강렬한 중독성을 지니고 있었다.

"류헤이. 당신, 왜 그리 자신이 없나요?"

"나는……."

"성지한은 저한테 쓸 만한 노예에 불과해요."

"그, 그래……?"

"그럼요. 제 사랑은 당신밖에 없어요."

시즈루는 검왕에게 다가가, 그의 뺨을 쓰다듬었다.

그 한 번의 터치에, 그는 화를 내야 한다는 의지마저 사라졌다.

오히려.

괜히 그녀에게 화를 냈다는 죄책감이 마음에 가득해졌다.

"미, 미안하다…… 시즈루. 내가 괜히 흥분했다."

"아니에요. 오히려 제가 너무 미안하네요…… 당신 곁에 있는 것이 부끄러울 정도로."

"아, 아니야! 내 곁을 떠나지 말아 줘. 내가 잘못했다.

그러니 제발……."

검왕은 가슴이 덜컥 내려앉았다.

시즈루가 곁을 떠난다니?

상상만 해도 끔찍했다.

"당신이 저한테 뭘 잘못했나요? 다 제가 잘못했죠."

"아, 아니야. 내가 너에게 화를 내지 않았나…… 충분히 잘못했지."

"화 난 거? 그것만 잘못하셨나요?"

"그럼?"

스으윽.

시즈루는 검왕의 얼굴을 끌어당겨, 그대로 입술을 포갰다.

그리고 그 사이에서 진한 키스가 오가자, 검왕의 눈이 흐리멍덩하게 풀렸다.

"제 사랑을 의심했잖아요. 류헤이."

"아……."

"제가 사랑하는 건 당신뿐이라고 그렇게 이야기했는데."

"미, 미안하다."

"그러니 3일간은 별채에서 자야겠어요."

"그건……!"

누군가는 겨우 3일이라고 할 수도 있지만, 매일 밤 그녀와 붙어 있는 검왕으로서는 고통스러운 처분이었다.

하지만.

"분신도 다시 만들어야 하니까요. 이해해 줄 수 있죠, 류헤이?"

"……알았다."

그는 시즈루의 말에 거역할 수 없었다.

"그럼, 나가 주세요."

"그래…… 오늘 일, 미안하다."

분노한 검왕을 가볍게 쥐락펴락한 채 내보낸 시즈루.

그녀의 입가가 비틀렸다.

'귀찮게 하긴.'

이러니까 매료를 걸면서, 복종과 광신을 넣었어야 했는데.

복종과 광신이 걸린 상대라면, 시즈루가 뭘 하든 믿고 따랐다.

한데 검왕 이토 류헤이는 집착과 의존을 넣은 덕분에, 자꾸 사람을 귀찮게 했다.

'간장과 막야만 아니었더라도…….'

검왕이 지닌 쌍검, 간장·막야.

청색과 홍색을 띠는 두 검은 각자 S급의 가치를 지니고 있었지만.

같이 사용되면 SSS등급으로 급이 훌쩍 오르는, 쌍검 전용 특성을 지니고 있었다.

그리고 이 두 검에는 '불복하는 자'라는 특성이 있어서, 복종과 광신의 상태이상이 먹히질 않았다.

'그래도 두 검을 포기하게 할 순 없지.'

현재 나와 있는 SSS급의 쌍검은 간장·막야가 유일했다.

이를 대체할 수 있는 무기가 나오면 모르되, 그전까지는 저걸 사용하게 놔둬야 했다.

뚜벅. 뚜벅.

시즈루는 별채로 걸어가며, 수많은 사람들과 통화를 나누었다.

"어머. 네. 총리대신님. 별일 아니랍니다. 저 믿으시죠?"

"방위대신님. 도와줄 일 없냐고요? 전 괜찮아요. 다만 조금 자중해야 할 것 같네요. 다케다는 어쩌죠? 아……방위대신님께서 처리해 주신다구요? 네. 부탁드려요."

"회장님. 또 투자를 해 주신다고요? 괜찮은데…… 아카식 페이지 세 장 정도야. 저한테 별로 부담되지 않는 거 아시잖아요? 어머. 벌써 계좌에 넣으셨다니요? 참, 성격도 급하셔라."

일본 정재계의 고위급 인사들이, 이번 사건을 보고 그녀를 걱정한 것이다.

일본에서 그녀의 영향력은, 이번 사건에도 전혀 흔들림이 없었다.

오히려 고위급 인사들이 경쟁적으로 자기가 지원해 주겠다고 하면서, 그녀를 후원했다.

'아카식 페이지 날린 건 금방 회수하겠네.'

그녀는 통화를 마친 후, 별채의 문을 열었다.

아카식 페이지야 후원으로 메우면 되지만, 중요한 문제
가 남았다.

'이번 분신은 좀 더 신경 써서 만들어야겠어.'

한국으로 파견 보냈던 분신 주은지는, 처음 만든 거라
그런지 너무 완성도가 부족했다.

능력 부족으로 성지한을 장악하지 못해서, 자신의 존재
만 전 세계에 드러나지 않았나.

이번엔 분신이 될 육신을, 쓸 만한 몸뚱이로 골라야 할
것 같았다.

'그러기에…… 딱 좋은 몸이 있지.'

그녀는 아카리를 떠올렸다.

분신의 몸을 완전히 희생해서 튜토리얼의 금제까지 풀
어 줬는데.

실버에게 꼴사납게 패배하고 도망친 여닌자.

아카리는 더 이상, 시즈루에게 쓸모 있는 패가 아니었다.

"빨리 오렴. 아카리."

그녀의 눈이 서늘하게 가라앉았다.

* * *

한편, 집에 돌아온 이후 잠에서 깨어난 성지한은.

[24시간 내 조회 수 100만을 달성했습니다.]
[일반 업적 '세계가 주목하다(1)'를 클리어하였습니다.]
[업적 포인트 10,000을 보상으로 획득합니다.]

[24시간 내 조회 수 500만을 달성했습니다.]
[일반 업적 '세계가 주목하다(2)'를 클리어하였습니다.]
[업적 포인트 20,000을 보상으로 획득합니다.]

[24시간 내 조회 수 1,000만을 달성했습니다.]
[일반 업적 '세계가 주목하다(3)'을 클리어하였습니다.]
[업적 포인트 30,000을 보상으로 획득합니다.]

[채널의 구독자가 1,000,000명을 돌파했습니다.]
[일반 업적, '구독자 모집 (4)'을 클리어했습니다.]
[업적 포인트 50,000을 보상으로 획득합니다.]

두 눈을 깜빡이며, 쏟아지는 업적 달성 메시지를 확인했다.

대체 뭔 난리가 난 거야?

'조회 수가 천만이 넘었다고? 그게?'

어느 정도 주목은 끌 거라고 생각했는데, 24시간 천만이라니.

거기에 구독자도 어느새 백만이 되었다.

성지한이 상태창을 공개하기로 약속한 백만이 되어 버린 것이다.

'하루아침에 업적 포인트 11만을 벌었군.'

업적 포인트 7만을 모아서, 클래스 아처를 추가하겠다고 마음먹은 지 얼마 되지도 않았거늘.

벌써 목표를 달성해 버렸다.

'좋아. 그럼 바로 4번째 클래스를 추가한다.'

성지한은 업적 상점을 열었다.

6장

6장

업적 상점의 항목을 바라보던 성지한은 클래스 추가와
업적 상점 업그레이드 사이에서 잠시 고민했다.

'업적 상점 업그레이드도 25만 포인트네.'

상점을 레벨업해 품목을 늘릴 것인가.

아니면 클래스 추가를 시도해서 전 직업을 추가해 보느냐.

그런 고민은, 업적 상점을 LV.7로 업그레이드하기 위
한 조건으로 인해 금방 끝이 나 버렸다.

[업적 상점을 LV.7로 업그레이드하기 위해서는, '성좌
슬롯 추가'와 '기프트 슬롯 추가' 항목이 LV.2까지 업그레
이드되어 있어야 합니다.]

성좌 슬롯 추가와 기프트 슬롯 추가에 투자하는 데 드는 업적 포인트는 각각 오만.

총합 10만을 더 투자하면서까지, 상점을 업그레이드해야 할 필요는 없었기 때문이다.

'물론 클래스 추가에 25만 포인트를 투자하는 것도 리스크가 있기는 하지만…….'

이제 남은 클래스는 아처 하나.

25만을 투자해서 클래스를 추가했더니, 그냥 클래스 4개만 생기고 끝이 나면 그냥 허공에 포인트를 날리는 거나 다름없었다.

하지만 성지한은 분명히 무언가 변화가 있을 것이라고 생각했다.

'여태까지 봐 온 업적 상점의 결과를 보면…… 분명히 뭔가가 있을 거다.'

믿었다.

그것이 업적 상점이니까.

'간다.'

[클랙스 슬롯 추가 LV.3이 구매되었습니다.]
[업적 포인트가 250,000 포인트 차감됩니다.]
[기본 클래스로 전직할 수 있습니다.]
[전직할 수 있는 클래스는 다음과 같습니다.]
─아처

[클래스를 선택하시겠습니까?]

아처를 선택하자, 클래스 슬롯이 이제 네 개로 늘어났다.

워리어, 메이지, 서포터에 아처까지.

이제 네 개의 기본 직업을 모두 지니게 된 성지한.

'……이대로 끝?'

추가 메시지가 바로 뜨지 않자, 설마 설마 했던 25만 포인트를 그냥 날려 버린 건가 싶었지만.

빠바바바바밤!!

[특수 업적, '올 클래스'를 달성했습니다.]

[업적 포인트 100,000을 보상으로 획득합니다.]

[올 클래스를 얻었습니다. 클래스 슬롯을 두 가지 방식으로 진화할 수 있습니다.]

"오."

다행히, 전에는 못 들었던 팡파르와 함께 추가 메시지가 떠올랐다.

그것도 클래스 슬롯을 진화한다는 방식으로.

[진화 방향을 선택해 주십시오.]

[올 마스터]

-모든 클래스를 그대로 유지한 상태로 강화합니다.

-네 가지 클래스를 모두 사용하며, 각 클래스의 직업 보너스와 능력치 성장률이 1.5배로 적용받습니다.

[올 포 원]

-네 개의 클래스 중 세 개를 비활성화하고, 한 클래스 만을 강화합니다.

-비활성화된 클래스에서 지금까지 얻은 스탯과 스킬 은 유지되지만, 더 이상 각 클래스에 특화된 추가적인 능 력과 스킬은 얻을 수 없습니다.

-강화된 클래스는 직업 보너스와 능력치 성장률이 기 존의 4배로 적용받습니다.

모든 직업을 강화하는 올 마스터로 진화하느냐.

아니면 단 하나에만 집중하는 올 포 원을 하느냐.

'답은 간단하군.'

마법사와 서포터는 포스를 위해 골랐을 뿐.

성지한의 근간은 워리어였다.

그는 망설임 없이, 올 포 원을 골랐다.

[워리어를 제외한 나머지 클래스가 비활성화됩니다.]

[추가 사항 – 남은 클래스를 삭제하시겠습니까?]

[클래스를 삭제하지 않을 경우 비활성화된 상태로 존재

하며, 차후 배틀넷을 진행할 때 비활성한 클래스의 역할
로 소환될 수 있습니다.]

　브론즈 때, 서포터 역할로 10개의 탑에 소환되었듯이.
　추후 진행될 게임에서도, 워리어 역할이 아니라 다른 3
개의 직업으로도 소환될 수 있다는 메시지.
　성지한은 이를 보고 잠시 생각했다.
　삭제를 해 버리는 게 깔끔하기는 하겠지만.
　'다른 직업으로도 소환된다는 게 꼭 나쁘게 작용하는
건 아니지.'
　레벨 업 단계에서는 각 게임에서 랜덤으로 뽑혀서, 팀
의 조합이 망가질 수 있으니 득보다 실이 더 많겠지만.
　국가대표 경기나, 나중에 더 나아가 스페이스 리그에서
의 경기를 생각하면.
　이건 얼마든지 조커 카드로 활용할 수 있었다.
　"남겨야겠군."
　성지한은 클래스 삭제를 거부했다.
　그러자 상태창에 4줄로 늘어서 있던 클래스 슬롯이 합
쳐지며.
　원래 있던 '클래스 - 워리어'는 '클래스 - 워리어+3'으
로 바뀌었다.
　"+3이라……."
　성지한이 +3을 눌러 보자, 옆에 메이지, 서포터, 아처

클래스가 반투명한 글씨로 떠올라 있었다.

'이런 방식으로 비활성화가 되는 거군.'

그와 동시에, 메시지 창 하나가 떠올랐다.

[워리어 클래스의 1차 진화 조건을 충족했습니다.]
[조건에 걸맞은 직업은 총 10개입니다.]

클래스 1차 진화가 가능하다는 메시지였다.

'벌써 가능했나?'

진화가 가능했으면 미리미리 알려 주지.

미묘하게 불친절한 상태창이었다.

성지한은 진화 가능 직업들의 목록을 살펴보았다.

[기사]부터 시작해서, [마검사], [성기사], [무인], [쉐
도우 워리어] 등등…….

네 개의 클래스를 모두 사용할 수 있었던 성지한이라
그런지, 진화 가능한 클래스도 각양각색이었다.

'무성에 비하면 별 볼 일 없어 보이는군.'

성지한은 심드렁한 얼굴로 10개의 클래스를 바라보았
다.

저번 생에서, 성좌 '방랑하는 무신' 덕에 얻었던 3차 진
화 특수 직업 무성武聖.

그것의 성능에 비하면, 지금 나열되어 있는 1차 진화
직업의 성능은 조악하기 그지없었다.

'그래도 뭐 하나 골라야겠지.'

뭐가 되었든, 현재의 워리어보다는 나을 테니까.

그리 생각한 성지한이 10개의 클래스를 쭉쭉 넘기고 있을 때.

맨 아래, 그의 시선을 붙잡는 직업 이름이 있었다.

[삼류무사]

–아직은 결점투성이인 무인.

–하나 삼류이기에 이제는 올라갈 일만 남았습니다.

 * 진화 보너스 : 워리어 클래스와 관련된 스탯, 스킬 성장률 +30퍼센트 증가 / 경험치 보너스 10퍼센트 증가

기사나 마검사 등, 다른 1차 진화 클래스에 비해 능력치 보너스는 전무한 삼류무사.

하지만 이를 보완하듯, 성장률 추가 효과는 1차 진화답지 않게 꽤 컸다.

'1차 진화치곤 상당한 성장률인데.'

여기서 올 포 원의 효과까지 가해지면, 저기서 성장률이 네 배가 증가하는 되는 셈.

그렇다면 고를 선택지는 너무나도 자명했다.

[클래스 '워리어'가 '삼류무사'로 1차 진화했습니다.]

[올 포 원의 효과를 받아, 클래스 효율이 네 배로 증가

합니다.]

 [클래스 – 삼류무사+3]
 −아직은 결점투성이인 무인.
 −하나 삼류이기에 이제는 올라갈 일만 남았습니다.
 * 진화 보너스 : 워리어 클래스와 관련된 스탯, 스킬 성장률 +120퍼센트 증가 / 경험치 보너스 40퍼센트 증가

 '엄청나군.'
 성지한은 올 포 원의 효과를 체감하고 헛웃음을 지었다.

 [일반 업적, '클래스 1차 진화'를 달성했습니다.]
 [업적 포인트 5,000을 보상으로 획득합니다.]

 거기에 깨알 같은 업적 포인트 획득까지.
 올 클래스 달성을 위해 쓴 업적 포인트가 많긴 했지만, 거의 절반은 회수한 느낌이었다.
 '이제 15만 정도가 남았네.'
 성지한이 남은 업적 포인트를 확인하고 있을 때.
 스으으윽−
 그의 왼팔에서, 아리엘이 작은 크기로 튀어나왔다.

"주인. 대체 뭘 한 거지?"

"왜?"

"가만히 있어도 그림자의 힘이 강해지는 게 체감됐다. 음…… 이렇게 현신을 하니까 더 그러는군."

성지한의 왼팔에서 완전히 나온 아리엘이 당혹스러운 표정을 지었다.

"더 커져도 되겠어."

그러면서 성지한의 가슴팍까지 닿을 정도로 커져 버린 아리엘은, 신기하다는 듯이 자신의 몸을 바라보았다.

"스탯 성장률이 증가해서 그런가 보군."

"그거 좀 오른다고 이렇게 변할 리가……."

"좀이 아니라 많이 올랐거든. 120퍼센트."

"120퍼센트나 더 올랐다고?"

아리엘은 어처구니없다는 듯이 반문했다.

"그럼 이제 현신을 계속해도 되겠어. 현신만으로도 검 영 스탯이 오를 것 같다."

"그래? 그럼 계속 있어라."

삼류무사가 되니 이런 쓸모까지 있었군.

특별한 일이 있지 않는 한, 성지한은 계속 아리엘을 소 환해 놔야겠다고 생각했다.

그때.

똑똑-

"삼촌…… 깼어?"

윤세아가 방문을 두드렸다.

"응. 방금 일어났어."

끼익—

방에 들어온 그녀는 아리엘을 보고 반갑다는 듯 손을 흔들었다.

"아리엘도 있었네. 오늘은 왜 이렇게 커졌어?"

"이제는 계속 있을 예정이다."

"아. 진짜? 왜?"

"네 삼촌이 또 성장해서. 이제 날 소환하는 것만으로도 능력치가 오르거든."

"와…… 삼촌 또 이렇게 개사기를 치네."

자기도 만만찮은 기프트를 지니고 있으면서, 윤세아는 성지한을 부럽다는 듯 쳐다보았다.

하나 그것도 잠시.

"근데…… 삼촌. 괜찮아?"

그녀는 조심스럽게 성지한의 얼굴을 살피며 물어보았다.

"닌자랑 싸운 것 때문에? 완전히 쌩쌩해. 제압하지 못한 게 아쉽긴 하지만."

"아니. 그것도 그런데. 그…… 매혹당한 거. 혹시 남아있나 걱정돼서."

"나한텐 영향 없어. 오히려 영상을 본 사람들이 현혹당한 게 아닌지 걱정이 되네. 그럼 영상 내려야 하거든."

"아니, 예쁘다고는 하지만, 영상으로 매혹을 당하진 않는 것 같아."

그러면서 윤세아는 쭈뼛쭈뼛했다.

뭔가 할 말이 있는데, 주저하는 모양새에, 성지한은 그녀가 말을 할 때까지 기다릴 생각이었지만.

옆에서 이를 지켜보던 아리엘이 성질 급하게 몰아붙였다.

"할 말 있으면 해. 괜히 몸 꼬지 말고."

"몸 꼬긴 무슨!"

"빨리 말이나 해라."

"아. 참. 그게…… 말이야."

아리엘 덕에 결심을 굳힌 건지, 윤세아는 스마트폰을 꺼내 들었다.

"삼촌. 이거 좀 봐 줄래?"

그러면서 윤세아가 보여 준 영상에서는.

검왕 이토 류헤이가, 일본의 기자와 인터뷰하는 장면이 재생되고 있었다.

[검왕님! 한국에서 난리 난 영상 보셨습니까? 혹시 이토 시즈루와는 무슨 관계이신지……!]

기자가 마이크를 들이대며 질문하자, 검왕의 얼굴이 금세 일그러졌다.

젠틀한 미중년으로 유명했던 그가, 이런 표정도 지을 수 있었는지 섬뜩할 정도로.

그는 기자를 죽일 듯이 노려보고 있었다.

[네놈. 말조심해라. 이토 시즈루라니. 그녀의 이름은 네놈 따위가 함부로 부를 수 없다.]

[아…… 예…….]

[한국에 갔던 건 그녀의 분신일 뿐이다. 진짜 그녀는 내 곁에 있다! 봐라. 내가 이토 성을 받지 않았느냐!]

서슬 퍼런 검왕의 기세에 기자가 겁을 먹어 질문을 더 하지도 않았는데.

그는 자기 스스로 흥분해서 고래고래 소리를 지르고 있었다.

[성지한, 건방진 놈……! 감히 그녀가 분신을 보냈는데, 이를 거역해? 얌전히 노예가 될 것이지……! 내가 직접 네놈의 사지를 잘라 일본으로 데려올 것이다! 기자! 이 말, 똑똑히 전하도록 해라. 알겠나?]

[아, 알겠습니다!]

[성지한…… 각오해라.]

카메라에 손가락질을 하면서, 광기를 보이는 검왕.

성지한은 더없이 추해진 그의 모습을 보며 눈살을 찌푸렸다.

"갈 데까지 갔네. 이미 저 모습도 다 퍼졌겠군."

"……응. 인터넷 난리도 아니야. 검왕을 유혹한 게 이토 시즈루라는 걸 확인시켜 준 거니까. 근데…… 아빠도 매혹 걸린 거겠지?"

성지한은 윤세아의 물음에 당연하다는 듯 고개를 끄덕였다.

검왕이 한국에 윤세진으로 있을 무렵에는, 언제나 여유가 있었다.

저렇게 여자 때문에 추하게 질투하고, 흥분하는 타입은 절대 아니었다.

카메라 앞에서 기자들에게 소리를 빽빽 지르는 건 더더욱 하지 않았다.

"당연히 매혹에 걸린 거지. 그래도 복종과 광신은 안 당하고, 다른 걸 추가로 당했나 본데. 한데, 이토 시즈루가 저렇게 검왕이 흥분하게 놔둘 거 같지는 않아. 돌발적으로 행동한 것 같거든."

"……그래?"

"응. 어지간히도 나 죽이고 싶어 하는군."

성지한은 대놓고 자신의 사지를 잘라 버리겠다며 공언하는 검왕을 보근 피식 웃었다.

세계 최강의 워리어가 자신을 적대해도, 그에게서 긴장

하는 기색은 눈을 씻고 찾아 봐도 없었다.

"삼촌…… 저 매료는 풀 수 있을까?"

아버지가 변한 게 매료 때문이라는 걸 알아서일까.

윤세아는 혹시나 검왕을 되돌릴 수 있을지, 희미한 기대를 지닌 채 물어보았다.

"글쎄."

매료를 이겨 낼 방법이라.

미래에도 방법을 찾지 못해, 서큐버스 퀸이 강림한 LA에 결국 핵 폭격을 가하지 않았던가.

성지한은 고개를 갸웃했지만.

"방법이 없지는 않지."

옆에서 이를 듣고 있던 아리엘이 입을 열었다.

"정말?!"

윤세아가 두 눈을 빛냈다.

사실 큰 기대는 하지 않았는데, 이계의 존재인 아리엘에게서 희망을 찾은 것이다.

"매료도 결국 배틀넷에서는 상태이상의 한 종류. 상태이상을 풀기만 하면 된다."

"그게 일반적인 방법으로 회복되지 않는 상태이상이니 문제지……."

"그리고, 세계수는 모든 상태이상을 해제하는 특성을 지니고 있다."

"세계수……?"

"엘프 행성에 존재하는, 세계의 근간을 이루는 나무다."

"상태이상을 해제하려면, 세계수의 뭐가 얼마나 필요한 거야?"

"별거 없다. 세계수의 잎사귀를 먹어도 되고, 심지어 세계수의 가지로 맞아도 풀릴 거다."

어처구니없을 정도로 가볍게 대답하는 아리엘이었다.

"정말? 그 정도면 구하기 쉬우려나……."

"그렇진 않다. 세계수는 엘프에게 있어서 유일신이자 세계 그 자체. 잔해 하나하나도 소중히 보관하지. 잎사귀 하나라도 거래하기 위해서는 막대한 대가를 지불해야 할 거다. 특히, 지금처럼 이 세계가 튜토리얼 기간이라면 절대 구하지 못할 테지."

"……그래?"

"다만, 스페이스 리그가 개막하면 어떻게 상황이 변할지는 모르겠군. 그래도 교활한 엘프들이 순순히 이를 넘겨주지는 않을 거다."

아리엘은 자신조차 엘프의 일종이면서도, 엘프에 대해 박한 평가를 내렸다.

"엘프가 교활해?"

"그러면 안 교활할 이유가 있나?"

"어…… 내가 아는 판타지 상식으로는, 숲에서 거주하면서…… 전투보다 평화를 좋아하는 종족이라고 알고 있거든."

엘프.

일반인이 가지고 있는 판타지적인 상식으로는, '귀 크고', '수명 길고', '이쁘고', '착하다'는 개념이 교집합된 종족이었다.

당연히 윤세아도 이 정도의 상식 정도로만 엘프를 알고 있었다.

실제로 엘프를 본 건 아니었으니까.

"흐음. 세계수 연합의 선동…… 여기서는, 그래. 프로파간다라고 하는군. 이게 잘 먹혔구나."

"프, 프로파간다……?!"

"그래. 엘프가 왜 착해야 하지?"

"어…… 글쎄? 그런 종족이니까?"

"애초에, 착하다는 개념이 뭐지? 이종족에게 잘해 주는 게 착한 건가? 아니면 자신의 종족을 위해 헌신을 다하는 게 착한 건가."

아리엘이 입꼬리를 올리며 묻자, 윤세아는 대답을 주저했다.

주어를 인간으로 치환하자, 대답이 바로 나오진 않았던 것이다.

"엘프는 착하다. 자신의 종족한테는."

"응…….""

"그리고 그들은 동시에 악하다. 이종족에게는. 그리고…… 이단에게는."

"그, 그래?"

엘프를 실제로 본 적이 없는 윤세아는 그저 아리엘의 말에 얼떨떨해 하며 고개를 끄덕일 뿐이었지만.

성지한의 표정은 딱딱하게 굳어 있었다.

엘프 연맹, 세계수 연합.

그들이 전생에서 스페이스 리그에 얼마나 깽판을 쳤는지 기억이 난 것이다.

'최종적으로는 세계수 연합에 포함된 엘프 행성 다섯 곳이 1위부터 5위를 차지했지…….'

엘프들은 지독했다.

그리고 강했다.

그들은, 인간의 완벽한 상위 호환이었다.

미적인 부분과, 수명은 물론이거니와.

신체의 능력도, 마력도, 심계도.

모두가 인간을 월등히 뛰어넘고 있었다.

'그러고 보면…….'

성지한은 저번 생에서, 검왕 윤세진이 사라졌던 때가 떠올랐다.

윤세아가 자살하고도, 한국이 멸망하고도.

아무런 거리낌 없이, 일본에서 계속 활발하게 활동하던 검왕.

그가 스페이스 리그에서 지구의 워리어 대표로 차출되어, 엘프 행성과 맞붙었을 때.

그는 엘프 종족의 최고 전사에게 목검으로 미친 듯이
두들겨 맞았다.

─이, 이건 아니야.
─아니야. 이럴 리가 없어. 이럴 리가……!

당시 윤세진의 모습은, 평소엔 전혀 볼 수 없었던, 패
닉에 빠진 얼굴이었다.

그때는 검왕이 너무나도 참담하게 패배해서, 자괴감에
그런 소리를 내지른 줄 알았는데.

'그때 엘프 워리어가 든 목검이…….'

말없이 아리엘의 말을 듣고 있던 성지한은 자신의 추측
이 맞는지 검증하기로 했다.

"아리엘."

"응?"

"세계수의 가지로 맞아도 상태이상이 풀린다고 했지.
그럼 세계수로 만든 목검으로 처맞아도 풀리나?"

"당연하다. 세계수의 가지로 만든 목검이라면, 보통 신
성력이 들어간 게 아니거든. 잎사귀 몇 개 먹는 거보다
훨씬 효과가 뛰어날 거야."

"그런가…….'

"하지만 목검을 구할 생각은 버리는 게 낫다. 세계수의
가지로 만든 목검이라면, 엘프 행성의 워리어 중에서도

가장 뛰어난 이에게만 수여되는 물건이니까.”

엘프의 최고 워리어에게 주어지는 세계수의 목검.

그거로 맞은 윤세진은, 이럴 리가 없다며 소리를 내질렀고…….

‘그 후부터, 그는 일본 국가 대표 경기에서 한 번도 모습을 드러내지 않았지…….’

그가 사라지고 난 이후부터.

미국으로 망명한 무성武星 성지한은 세계 랭킹 7위로도, 최강의 워리어 자리에 오를 수 있었다.

만약 검왕이 활발하게 활동을 하고 있었다면.

성지한이 워리어 중에서, 독보적인 최강으로 자리매김하지는 못했을 것이다.

‘거기에, 일본의 순위도 불안정했지.’

세계가 멸망하기 직전.

일본의 세계 랭킹 순위는 8-9위권이었다.

최후의 10국 중, 거의 맨 마지막.

검왕이 계속 활발히 활동했다면, 사실 그들은 5위 이상에 들어야 하는 게 정상이었다.

‘하지만 현실은 그렇지 못했지.’

최후의 순간에 일본은, 예전에 벌어 둔 포인트로 계속 순위를 방어했을 뿐, 서서히 순위가 떨어지고 있는 국가였다.

‘그때, 세계수의 목검으로 맞으면서 매료가 풀린 건가.’

매료가 풀린 후 무슨 일이 벌어졌는지는 모르겠지만,
그 후부터 검왕이 활동하지 않았던 걸 보면 이상이 생겼
음은 확실해 보였다.

'……매형의 생사야 솔직히 관심이 없지만.'

성지한은 윤세아를 바라보았다.

그녀가 자살할 정도로 내몰릴 때까지, 검왕은 일본에서
호의호식하면서 세계 제일의 미녀를 거느리고 주지육림
을 누렸다.

성지한의 인생에, 수많은 적이 있었지만.

그 누구보다, 죽여도 죄책감 하나 들지 않고 가슴이 상
쾌할 상대는 단연 검왕이었다.

그렇지만.

─지한아. 세아를 부탁해……

누나 성지아는 자신을 희생하기 전, 딸 윤세아를 부탁
했다.

그럼에도 자신은 도박에 빠져서, 윤세아의 불행을 등한
시했었다.

오히려 막상 성지한을 케어한 게 윤세아였을 정도로.

둘의 관계는 누나 성지아의 예상과는 정반대로 흘러갔
다.

'세아의 부탁이라면, 일단 들어 준다.'

윤세아는 성지한에게 있어 누구보다도 친한 동생이자 하나밖에 없는 누나의 혈육이었고.

쓰레기 같은 자신을 케어해 준, 아픈 손가락이었다.

그런 세아가 아버지에게 기회를 주고 싶어 한다면.

'그래. 한 번은 해 줘야겠지.'

단 한 번만.

"그렇다면, 아리엘. 네 말대로라면 우리는 세계수의 잎이나 가지를 얻어야 하고. 그걸 이토에게 써먹어야겠군."

"그렇다."

"그럼 지금 실버와 브론즈인 우리 수준으로는, 전혀 가능성이 없겠네."

"그렇겠지."

하지만, 지금까지 나왔던 이야기는 모두.

지금 실버나 브론즈에 불과한 둘에게는, 해당 사항이 없었다.

"세아야. 이럼 우리는 어떻게 해야 할까?"

성지한이 능글맞게 웃으며 물어보자, 윤세아는 한숨을 푹 쉬었다.

결국 이야기의 결론은, 하나로 귀결되었다.

"……훈련하라고?"

"잘 아네."

"하아아아…… 삼촌 훈련 귀신이다."

"후발주자가 올라가기 위해선, 그 수밖에 없어."

"흐아아아."

"힘들면 말고. 삼촌이 너 하나 못 먹여 살리겠니."

훈련이 고된 건, 성지한이 더 잘 안다.

조카에게 편한 길만 걷게 해 주고 싶었던 성지한이 은근슬쩍 그렇게 권유를 했지만.

"됐거든요!"

윤세아는 바로 고개를 가로저었다.

"나중엔 내가 삼촌 먹여 살릴 테니 각오하라고."

"후후…… 그건 불가능한데 어쩌냐. 음~ 그래. 배런 정도는 네가 이길 수 있겠다. 하지만, 나는 좀 힘들어."

어느새 성지한의 머릿속에서 전투력 측정기가 된 배런이었다.

"어휴. 배런 님이랑 어떻게 나를 견줘."

"걔 발컨이야. 세아 네가 실력만 갖추면 그냥 짓밟는다니까."

"참나…… 자기랑 비교하지 않을 땐 또 띄워 준단 말이야."

어처구니없다는 듯이 한숨을 쉬는 윤세아.

하지만 그녀의 입가에는 미소가 슬쩍 감돌고 있었다.

그래도 성지한이 이렇게 뜨기 전, 세계 유망주 랭킹 1위를 독보적으로 달리고 있던 배런을 이길 수 있다고 해 주니, 괜히 기분이 좋았던 것이다.

그때.

부르르르-

윤세아의 핸드폰에 진동이 울렸다.

그녀는 자신에게 온 메시지를 확인하고는, 성지한을 바라보았다.

"삼촌. 하연 언니가 삼촌한테 사과드린다고 하는데. 어떻게 할까?"

성지한은 고개를 갸웃했다.

이하연이 나한테 무슨 사과할 게 있다고?

"음, 일단 오라고 말씀드려. 나가 볼게."

* * *

펜트 하우스의 응접실.

이하연은 성지한에게 몸을 푹 숙이며, 무릎이라도 꿇을 기세로 사죄했다.

"오너님!! 정말 죄송해요……!"

"아니, 뭐가 죄송합니까?"

"제가 사람을 잘못 봤어요! 주은지 씨가 그런 사람인 줄도 모르고, 하마터면……!"

"아."

성지한은 그제야 왜 이하연이 사과하러 왔는지 깨달을 수 있었다.

직원을 뽑은 건 그녀였으니, 책임감을 느낀 거겠지.

"저쪽에서 작정하고 잠입했는데 어떻게 알았겠습니까."

"대기 길드와 오너님의 중요성을 생각하면, 저희 길드에 들어오는 모든 사람들의 뒷조사를 철저히 해야 했는데…… 제가 너무 안일했어요."

비밀 결사대를 뽑는 것도 아니고, 편집자를 뽑는 일에 뒷조사까지야.

성지한은 황당한 기분이 들었지만, 이하연이나 윤세아의 표정이 워낙 심각했기에, 가만히 고개를 끄덕였다.

"지나간 일은 지나간 일이죠. 이제부터라도 하면 되니까요."

"네. 이제부터는 국정원에서도 적극 협조하겠다고 말해 주셨어요."

"……국정원까지요?"

성지한은 어이가 없었지만.

"네. 거기도 어제 방송을 보고는 완전히 비상이 걸렸거든요."

이하연이 추가적으로 설명을 덧붙이자 정부 쪽 입장도 이해가 갔다.

이미 많이 쇠퇴해 버렸다지만, 아직 힘을 다 잃지 않은 검왕가에 더불어.

새로운 플레이어 팬텀으로 자리 잡은 성지한 팬클럽 '더 퍼스트'에서 정부에 대고 온갖 항의와 민원을 쏟아넣기 시작한 것이다.

대체 정부는 뭘 하는 거냐고.

이렇게 두 눈뜨고 일본한테 플레이어를 빼앗길 거냐면서.

더군다나 더 퍼스트의 라이트한 팬들은 예전에 검왕가에 속해 있었던 순수 국뽕 팬이었기에, 간첩에 적절히 대응하지 못하는 정부를 탓하는 여론을 주도하다시피 하고 있었다.

"그래서. 주은지…… 아니 이토 시즈루의 빈자리는 그동안 제가 메우기로 했습니다."

"……하연 씨가요?"

"네! 제가 길드 마스터이자 편집자로, 열심히 활동해 보도록 하겠습니다! 저, 그…… 죗값을 치러야죠!"

굳이 그럴 필요가 있나?

어차피 대기 길드는 이하연의 기프트 때문에 유지되는 길드인데.

별생각이 없는 성지한과는 달리, 이하연은 열성적이었다.

"저, 그래서 말인데. 오너님. 100만 구독자 미션 달성한 건은 어떻게 처리할까요?"

"100만 구독자…… 맞아. 어느새 그렇게 되어 버렸죠."

"확실히 전 세계의 주목을 끄는 건, 특별한 이벤트인 것 같아요. 실버가 다이아를 꺾었다는 소식이 널리 퍼지자마자, 구독자가 순식간애 100만을 돌파했으니까요."

실버로 승급하는 전 세계 TOP 100 승급전에 출전했을 때 한번 팍 오르고.

이번에 다이아인 닌자 아카리를 제압한 게, 두 번째로 도약하는 계기가 되었다.

"오너님. 저, 상태창 공개할 생각이 없으시면…… 제가 적절히 커트하도록 하겠습니다. 편집자로서 그건 당연한 의무니까요!"

"전 보여져도 괜찮은데요?"

"역시 그렇죠? 제가 다 변명거리를 준비해 두었습니다. 사실 능력을 발휘하기 위해선 상태창을 공개할 수 없다는 특수한 상태창이라든지…… 네에?"

"괜찮다니까요. 공개해도 됩니다."

성지한의 상태창.

일반 플레이어와는 완전히 궤가 다른, 독보적으로 특이한 상태창이었지만.

성지한은 이걸 공개하는 데 전혀 거리낌이 없었다.

'대중의 관심이, 플레이어에게는 힘이 되니까.'

더구나 이런 난장판 직전인 세계에선, 힘을 필요 이상으로 숨는 것은 미련한 짓이었다.

오히려 적절히 공개하는 것이, 차후의 행보를 밟아 가는 데 있어 더 도움이 될 것이다.

"어, 그럼……."

"잘됐네요. 100만 넘은 김에 지금 해치워 버리죠. 상태창 공개."

이미 속으로는 계산이 다 끝났지만, 겉으로 보기에는 가볍게.

성지한은 웃으며 그리 말했다.

성지한이 방송을 켜자, 시청자들이 물밀 듯이 들어왔다.

어제의 일로 인해 구독자가 확 늘어난 만큼, 생방송을 보는 시청자 숫자가 느는 건 당연했지만.

'어…… 벌써 5만…….'

이하연은 두 눈을 깜빡였다.

방송을 켠 지 2분도 채 지나지도 않았는데.

사람들이 미친 듯이 유입되고 있었다.

그도 그럴 것이.

[구독자 100만 달성 약속인 상태창 공개, 곧 시작합니다!]

라이브 방송을 진행하기 전에 미리 띄워 두었던 방송 예고 제목이 사람들의 관심을 완전히 끌어 버린 것이다.

-오오오!
-드디어!

-상태창! 상태창! 상태창!!!

-100만 명이 이렇게 빨리 모이네 ㅋㅋㅋㅋ

-어제 일이 임팩트가 크긴 했지.

-ㅇㅇ실버가 다이아를 발라 버렸으니까. 해외 뉴스에서도 톱으로 뜨더라.

성지한의 상태창을 궁금해하던 사람들은 드디어 이날이 오자 환호를 질러 대기 바빴다.

대체 뭔 능력을 가지고 있기에, 저런 미친 활약을 보이는 건지.

능력이 제한된 실버가, 100퍼센트의 힘을 발휘하던 다이아를 이길 수 있는 건지.

드디어 오늘, 이 미스터리가 풀리기 때문이었다.

"반갑습니다. 여러분."

성지한은 평소와 같이 여유로운 얼굴로 고개를 살짝 숙여 인사했으며.

테이블 건너편에 앉아 있는 이하연은 카메라를 보며 웃는 낯으로 반갑게 손을 흔들었다.

"여러분 안녕하세요~ 이하연이에요~. 오늘은 제가 영상 촬영과 편집, 인터뷰까지 1인 3역에 투입되었답니다."

-아니 왜 길마님이 그런 잡무까지 다 하나요??

-돈 좀 쓰세요ㅜㅜㅠ

―ㄹㅇ 거액의 임대료 어디 감.

"하아아…… 여러분. 어제 사건 보셨으면 아시겠지만, 제가 뽑은 편집자가 사달을 내 버려서 말이죠……."

―아.
―매료 걸었던 여자 길마가 뽑은 거였음?
―그럼 일해야겠네ㅋㅋㅋ
―어떻게 그런 사람을 뽑고도 여기서 뻔뻔하게 앉아 있을 수 있죠? 당신 때문에 지한 님이 얼마나 위험했는지 알긴 해요?

극성 팬들이 이하연을 탓하려 들자, 성지한이 한마디를 거들어 주었다.
"괜찮습니다. 주은지가 이토 시즈루인 줄 누가 알았겠습니까. 여기서 길드마스터를 탓해선 안 되죠."

―ㄹㅇㅋㅋ
―작정하고 위장해서 들어오는데 어케 알음ㅋㅋㅋ
―맞지 나쁜 건 일본이지.
―근데, 지한 님은 어떻게 미리 알고 계셨나요?
―그러게? 방송 미리 켰잖아.

카페로 진입하기 전에, 이미 예감이라도 한 듯 시점 공유를 통해 생방송을 진행했던 성지한.

주은지의 흉계를 어떻게 알았던 건지 사람들이 궁금해하자, 대답은 금방 나왔다.

"예전에도 그녀가 매료를 걸었거든요."

"어머, 정말요? 오너님. 대체 이토 시즈루가 언제 매료를……."

"저번에, 저희 집에서 훈련을 찍었을 때요."

"아아! 어쩐지 저한테 오너님 훈련 영상 찍자고 권유하더니…… 전 그때만 해도 이 사람 참…… 사람이 됐다, 길드 일을 자기 일처럼 생각하는구나 하면서 뿌듯해했는데."

–그때부터 매료를 건 건가 ㄷㄷ

–설계 지리네…… 갑자기 훈련 영상 올라온 거에는 그런 속셈이 있었네.

"그때는 매료에 걸린 척했습니다만……."

그렇게 운을 뗀 성지한은 자기보다 오히려 그쪽에서 먼저 연락이 오자, 일이 틀어졌음을 직감하고 시점 공유 방송을 틀었다고 이야기했다.

-결국 문자 땜에 틀어진 건가 그럼 ㅋㅋㅋ
　　-보통은 먼저 연락하긴 하지ㅋㅋㅋㅋㅋ
　　-매혹 상태에서 이토 시즈루는 여신님 그 자체인데 선
문자가 뭐임?? 아예 핸드폰 불나도록 통화 걸었지ㅋㅋㅋ
　　-그래도 들키길 잘한 거 같네. 저런 여자는 길드에 괜
히 품고 있으면 망할 뻔했음.

　　성지한이 그렇게 어제의 일에 대해 설명하자.
　　갑자기 그의 채팅창에 후원 메시지가 떴다.

　　[R.E.Gates가 100,000GP를 후원했습니다.]
　　[플레이어 성. 당신에게 감사드립니다. 하마터면 배런
도 당할 뻔했습니다.]

　　"배런? 배런이 왜……."

　　[R.E.Gates가 100,000GP를 후원했습니다.]
　　[저번에 배런이 한국에 갔을 때, 이토 시즈루가 매혹을
걸었나 봅니다. 그래서 주은지의 연락처를 알아 달라고
부탁했죠. 하지만 어제의 방송을 보고 뒤늦게 정신을 차
린 모양입니다.]

　　성지한은 어이가 없었다.

배런이 길드에 와서 머문 시간은 엄청 짧았는데, 대체 언제 당했던 거지?

그때.

[Barron이 10,000GP를 후원했습니다.]
[로버트 이 성스러운 $%^&야…… 왜 내 이야기를 꺼내?]

[Barron이 10,000GP를 후원했습니다.]
[내가 언제 반했어! 난 그런 적 없어!]

[Barron이 10,000GP를 후원했습니다.]
[이 %^&야. 그러니까 제발 좀 닥쳐라. 그리고 이 채널은 뭔 후원 메시지를 1만부터 쳐 받고 있어!]

배런이 최소 후원 단위인 1만 GP를 연속으로 후원하면서, 게이츠의 후원 메시지를 쭉 밀어 버렸다.

주은지에게 당한 게 자기 딴에는 상당한 흑역사로 다가왔는지, 상당히 흥분한 모습이었다.

"오너님, 아무래도……."

"흠. 뭐, 아니라니까 믿어 줍시다. 저희는."

─ㅋㅋㅋㅋㅋ 배런 급발진하네.

-미국인 둘이 후원 팍팍 터뜨리네요^^

-근데 후원금 1만 GP에서 좀 내릴 생각은 없으신가요? 넘 비싸요 ㅠㅠ

-이 채널 지금까지 거의 외국인만 후원함 ㅋㅋㅋㅋ

"아, 그거보다 더 낮추면 너무 많은 메시지가 나올 것 같아서요. 싸울 때 방해가 될 수 있거든요. 그냥 여러분의 마음만 감사히 받겠습니다."

적절히 마무리 멘트를 날린 성지한은 본론으로 들어갔다.

"그럼 오늘의 주제인 상태창을 공개해 볼까요?"

성지한은 상태창을 띄워, 창 아래에 자그마하게 나와 있는 '상태창 공개' 칸을 활성화시켰다.

"어…… 오너님, 상태창이 상당히 크시네요?"

성지한이 상태창을 공개하자마자 뜨는 커다란 반투명한 창을 보고 신기해하던 이하연은.

"와……!"

상태창 안의 세부 내역을 보고, 눈을 휘둥그레 떴다.

그리고 이러한 반응은, 시청자들도 마찬가지였다.

* * *

이름 : 성지한

레벨 : 46

소속 : 실버 리그 – 강남 1 에어리어

무력 : 61

포스 : 61

검영 : 23

클래스 – 삼류무사+3

기프트 – 달의 그림자 (등급 SS)

칭호 – 왕중의 왕 – 브론즈

브론즈리그의 지배자

업적 포인트 – 150,300

"언제 레벨 46이 되셨어요……? 거기에 무력? 이건 대체 무슨 스탯이죠? 거기에 포스는 배런 님의 유니크 스탯 아니었나요?"

성지한의 상태창을 본 이하연은 침착함을 잃고, 진심으로 흥분한 듯했다.

속사포같이 쏟아지는 질문들.

그만큼 그의 상태창은, 일반적인 상태창과는 완전히 궤를 달리했다.

–뭐야 저 스탯?

–무력이랑 검영, 포스…….

–포스는 배런 트레이드마크 아니었나?

-내 상태창 2개로만 얻을 수 있는 스탯이라며?

-와 근데 무력…… 포스처럼 세 줄이나 먹고 있는데?

-저거도 유니크임?ㅎㄷㄷㄷㄷ

상태창에서 스탯이 차지하는 줄 수는 능력의 희귀도를 보여 준다고 세간에 알려져 있었다.

체력이나 힘 같은 일반 스탯은 한 줄짜리 크기였으며.

다이아리그에 가면 얻게 되는 레어 스탯은 두 줄짜리 크기였다.

한데 무력과 포스, 이 둘은 상태창에서 세 줄 크기를 차지하고 있었다.

"네. 무력도 유니크 스탯입니다. 포스는 뭐, 배런의 것과 같습니다만…… 그게 꼭 한 사람만 사용하란 법은 없잖아요?"

[Barron이 10,000GP를 후원했습니다.]

[말도 안 돼!! 나의 포스를, 나만의 포스를 어떻게 네가 가지고 있지?! 이건 조작이야!!!]

성지한의 말이 다 끝나기도 전에.

배런은 조금 전보다 더 현실을 부정하고 있었다.

-배런 열폭하는 거 봐라ㅋㅋㅋㅋ

-따지려고 천만 원 투척하는 배런니뮤ㅜㅜ

-흥분할 만하지. 포스는 배런의 독문무공 같은 느낌이라⋯⋯.

[Barron이 10,000GP를 후원했습니다.]

[대체 무슨 짓을 한 거냐 성지한!!!! 어떻게 네놈이 내 포스를 가지고 있어!!!!!!!!!]

"후원 고맙네요, 배런."

성지한은 느낌표를 남발하는 배런의 후원 메시지에 산뜻하게 미소를 지어 보였다.

"이참에 말씀드리죠. 배런 당신은 포스 좀 잘 다뤘으면 좋겠어요. 가능성이 무궁무진한 능력인데, 마법 강화에만 써먹잖아요."

스윽-

성지한이 옆으로 손을 뻗자, 저 멀리 부엌에 있던 사과가 둥둥 떠서 그에게로 다가왔다.

"자, 봐요."

성지한이 주먹을 쥐자, 사과 껍질이 허공에서 예쁘게 깎여 나갔다.

그렇게 해서 깎인 껍질은 곧 먼지가 되어서 허공에 사라지고.

사과는 각 잡혀 8등분으로 잘린 채, 허공에 반듯하게

나열되었다.

성지한은 그중 하나를 입에 집어넣은 채 맛있게 이를 먹었다.

"포스를 잘 다루니, 생활이 얼마나 편해져요?"

-ㅋㅋㅋㅋㅋㅋ

-포스로 사과를 깎네 ㅋㅋㅋㅋ

-성지한이 염동력처럼 쓴 게 포스였구나 ㄷㄷ

-배런은 저렇게 쓰는 거 한 번도 못 봤는데?

-ㅇㅇ 나도 그냥 마법 강화해 주는 능력인 줄 알았음. 보호막 있고.

성지한이 보여 준 포스의 운용.

사람들은 이게 얼마나 어려운지 체감이 되질 않아, 그저 신기하다는 반응이었지만.

포스를 다루는 배런은, 이런 미세 컨트롤이 얼마나 어려운지를 잘 알고 있었다.

그가 이걸 보고 충격을 받았는지, 쭉 침묵 상태로 말이 없자.

-우리 배런이…… 말이 없네…….

-야…… 우냐?

-님들 너무 그러지 말아요 불쌍하쟈나요 ㅠㅠ

-불쌍해도 세계 유망주 랭킹 2위이고ㅋㅋㅋㅋ 후원만
오늘 5천만 원 쯤.

-아 그러네. 누가 누굴 걱정하냐. 야 우냐? 울어? 에
베베베베 운대요~~~~

-미친 새키들ㅋㅋㅋㅋ

시청자들이 오히려 그를 놀려대고 있었다.

한편.

"오너님, 저도 먹어도 돼요?"

"그럼요. 같이 먹죠."

성지한은 이하연과 함께 허공에 띄운 사과 조각을 여유
롭게 먹어 가며 인터뷰를 이어 갔다.

"유니크 스탯 둘에. 검영은…… 줄 수를 보아하니 레어
스탯 같네요?"

"네. 그건 레어 스탯입니다."

남들은 레어 한 개도 다이아 가서 겨우 얻는데, 이 사
람은 실버 때 벌써 유니크 2개에 레어 1개.

-저번에 아리엘이 내기 이기면 그림자 스탯 찍어 달라
고 해서 뭔 소린가 했는데ㅋㅋㅋㅋ

-검영 스탯 안 찍는 이유가 있누!!!

-유니크 2개는 선 씨게 넘은 거 아님?

-이미 실버가 다이아 깨부술 때부터 선은 진작에 넘었

음 ㅋㅋㅋ

"이 유니크 스탯은 어떻게 얻게 되셨나요?"

"자세한 건 말씀 못 드리지만, 사라진 기프트 덕을 보았습니다."

"아…… 이 달의 그림자가 원래의 기프트가 아니었나요?"

"네. 예전 건 유니크 스탯을 주고 사라졌죠. 달의 그림자는 브론즈 때 배리어를 부수며 얻은 겁니다."

성지한은 유니크 스탯을 얻은 과정에 대해 구구절절하게 설명하는 대신, 이미 사라진 기프트인 '방랑자의 눈'을 통해 얻었다고 떠넘겼다.

"거기에 클래스 삼류무사…… 옆에 +3은 뭔가요?"

"+3은 다른 클래스들입니다."

"어…… 올 클래스…… 인가요? 아니 클래스를 어떻게 또 얻죠?"

"그것도 제 첫 기프트가 역할을 좀 해 주었는데요."

거기에 더 나아가.

업적 상점을 통해서만 얻을 수 있었던, 4개의 클래스 슬롯이라던지.

"어머. 칭호가 두 개네요? 칭호를 어떻게 두 개나 끼실 수 있는 거죠?"

"그것도 제 첫 기프트가 역할을 해 주었습니다."

"……."

"진짜로요."

칭호 슬롯에 대해서도.

이미 사라진 기프트 덕을 보았다고 다 떠넘겼다.

─아 ㅅㅂ 이건 아니지!

─칭호 슬롯이랑 클래스 슬롯, 유니크 스탯이 무슨 기프트 때문에 다 생기냐고!

─성지한은 진실을 밝혀라!

이를 보고 있던 시청자들은 사라진 기프트에 모든 책임을 떠넘기는 성지한에게 야유했지만.

─지한 님이 그렇다면 그런 거지 왜 ㅈㄹ??

─그러니까~ 상태창~~공개한~~것만 해도~~고마워해야지~~뭘 자꾸 설명하라냐~~^^;

─기프트 때문이라시잖아. 그냥 받아들여!

더 퍼스트의 팬들이 극한의 실드를 쳐 주며 일반 시청자들과 싸우기 시작했다.

개판 일보 직전이 되어 가는 채팅창.

그래도 성지한은 전혀 개의치 않았다.

'업적 상점 이야기까진 꺼낼 수는 없지.'

2레벨로 회귀한 무신 4

거기에 정말 크게 보면 방랑자의 눈 때문에, 마지막까지 살아남아 회귀까지 하게 된 것이니, 아예 틀린 말을 한 것도 아니고.

"이 정도면 제 상태창에 대한 궁금증이 풀리셨을 거라 믿습니다."

"오너님…… 솔직히 저는 의문만 늘었는데요……?"

"남은 의문은, 여러분의 추리 능력에 맡기도록 하지요. 오늘 방송은 여기까지 하겠습니다."

그러면서 성지한은 이쯤에서 방송을 종료했고.

그의 상태창은 곧 전 세계 배틀넷 커뮤니티에 공유되어, 가장 뜨거운 화젯거리가 되었다.

그리고 이런 열띤 반응을 지켜보던 배런은.

"Shit!!!"

쨍그랑!

술잔을 깨뜨리고 있었다.

(2레벨로 회귀한 무신 5권에서 계속)